UNE ENFANCE TRAHIE

De plus en plus d'hommes s'interrogent sur leur condition, en particulier sur leurs problèmes intimes et relationnels. Les rôles d'homme et de femme sont en évolution et à l'heure où l'on remet en question les notions mêmes de masculinité et de féminité, de nouveaux discours émergent, de nouvelles voix se font entendre. Les livres de la collection «Des hommes en changement» leur font écho.

Christian André Séguin
avec la collaboration de Michel Dorais

Une enfance trahie

Sans famille, battu, violé

ÉDITION DU CLUB QUÉBEC LOISIRS INC.

Dépôt légal – Bibliothèque nationale du Québec, 1993
ISBN 2-89430-084-0
(publié précédemment sous ISBN 2-89005-531-0)

Avertissement

Toutes les personnes dont il est question dans ce récit vivent encore, puisqu'il débute il y a à peine vingt et un ans; seuls leurs noms et quelques détails ont été changés afin de préserver leur anonymat. Toute homonymie ne serait donc que le fruit du hasard.

Préface

Tous les jours, des enfants qui ne demandent qu'à vivre en paix sont traités avec cruauté, battus, violés. Leur désarroi est immense, mais la peur de nouveaux sévices les muselle. Ils souffrent dans le secret et le silence. Des années plus tard, on retrouvera ces jeunes drogués, prostitués, suicidaires, et on se demandera pourquoi... Difficile de s'aimer soi-même quand la violence se substitue à l'affection et au réconfort dont chaque enfant a besoin.

Travailleur social de profession, j'ai entendu beaucoup de récits insoutenables. Peu m'ont bouleversé autant que celui de Christian. Plus je découvrais les détails sordides de son enfance violée, plus j'avais de la difficulté à contenir ma révolte. Que des histoires semblables puissent encore se produire malgré — ou en partie à cause — du système de protection de l'enfance mis en place pour les prévenir, voilà qui étonne et qui indigne. Colère, désolation, tristesse, je les ai maintes fois ressenties en parcourant avec lui l'histoire de Christian. Je n'en ai que davantage admiré sa ténacité.

Si, à sa demande, j'ai accepté d'aider Christian à mettre en forme ses souvenirs d'enfant trahi, c'est pour participer à la vérité, dans l'espoir que ce récit fasse réfléchir et peut-être empêche de pareils drames de se reproduire. Ce faisant, j'ai aussi tenté d'aider Christian à exorciser les angoisses que révélait ce patient travail de dialogue et d'écriture. Puisse la vie sauver la vie.

La situation des garçons victimes d'abus physiques et sexuels n'a que trop longtemps été passée sous silence. Livrer au grand public les expériences et les émotions de l'un d'eux m'est apparu comme un devoir auquel je ne pouvais me dérober. Ne plus jamais voir la vie, l'amour et la sexualité de la même façon compte parmi les séquelles des enfants dont on a abusé. Pour peu que l'on soit sensible à leur sort, il est impossible de ne pas s'interroger soi-même lorsque confronté aux désarrois de l'un d'entre eux. Ceux et celles dont un ami, un proche ou un fils a vécu l'enfer de l'abus physique ou sexuel le savent déjà.

Ce livre est celui de Christian. Rien n'y fut ajouté qui soit étranger à son histoire. Ma seule contribution fut d'ordre «littéraire». Je remercie Christian de m'avoir fait suffisamment confiance pour me permettre d'être son premier confident et lecteur. Je suis ému de partager maintenant ce privilège avec ceux et celles qui vont découvrir ce troublant récit.

MICHEL DORAIS

Flash back

Dans le clair-obscur de la nuit, assis à mon bureau, je contemple par la fenêtre la ville illuminée. Vivre. Vivre normalement. Oublier ces cauchemars qui surgissent du passé. M'accrocher à des projets qui me permettent de conserver un espoir. J'ai vingt et un ans. J'écris.

Un éclair traverse le temps. Je suis aspiré dans une cavité sombre. J'aperçois une petite masse rose. Je m'approche d'elle. C'est un enfant dans le ventre de sa mère. C'est moi. Dans cette enveloppe magique, rien ne m'atteint encore, aucun mal, aucune souffrance, aucune sensation. Confortablement, je dors. Neuf mois passent. On m'expulse de mon cocon.

Maman a dix-sept ans, si petite et si fragile encore. Elle aime prendre son petit Christian dans ses bras. Elle m'appelle son bel amour, sa délivrance.

Grand-mère vient de nous chasser de chez elle: elle n'accepte pas qu'il y ait une fille-mère dans sa famille. Grand-père, qui se résigne à nous héberger un temps, ne se montre guère plus accommodant. Alors, c'est la tournée des sœurs et des amies de ma mère. Mon père? Déjà parti: «inconnu», selon mon acte de naissance. Maman doit me traîner partout avec elle. Elle boit, elle fume de la mari, elle fait sa vie d'adolescente. Un soir, elle rencontre Maurice. Elle sort et me confie à des étrangers. Mais, eux, se fichent pas mal de ce bébé encombrant et quittent l'appartement aussitôt que maman est sortie. J'apprends très tôt la solitude.

Un an plus tard, maman a un enfant de Maurice. Il veut aussi prendre soin de moi comme si j'étais son propre garçon, mais ça ne tient pas longtemps. Il est jeune, il oublie ses responsabilités, quitte la maison sans donner de nouvelles, des jours durant. On dit qu'il est alcoolique et voleur.

Trois ans plus tard, des gens de la Protection de la jeunesse nous enlèvent à notre mère. Fatigués de nous entendre pleurer et frapper sur les murs en réclamant notre maman, des voisins ont porté plainte. Un tribunal estimera qu'ils ont eu raison.

Je me retrouve à la crèche avec plein d'autres enfants. Quelques *flashes* me reviennent. Je suis assis sur un lit recouvert d'un édredon bleu ciel et j'essaie d'attacher mes lacets. Il y a un grand bain, si immense qu'il faut monter trois marches pour y accéder. Partout, de longs murs jaunes.

Maman a le droit de venir nous voir tous les jours. Le tribunal lui a conseillé de se remettre sur pied: plus de drogue, un emploi, bref, on veut qu'elle présente un profil de «bonne mère». Elle trouve que l'orphelinat est loin de chez elle et ne vient qu'une fois par semaine. Bientôt ce sera une fois toutes les deux semaines. Puis une fois par mois. Puis plus du tout. On me dit qu'elle est malade.

Je suis un beau petit garçon tout blond. On me trouve aisément des foyers d'accueil. Mais ça ne dure jamais longtemps. C'est un va-et-vient continuel entre ces foyers — j'en connaîtrai sept en trois ans — et la crèche. Les parents des familles d'accueil craignent de s'attacher à moi. La raison? Maman ne veut pas autoriser l'adoption. Elle prétend que personne ne lui enlèvera son enfant, qu'elle est en train de se rétablir, qu'elle est à la veille de me reprendre, et tout le tralala. Alors, mes parents de quelques mois se tournent vers un autre enfant, adoptable celui-là, et me renvoient.

Je fais des crises: «Pourquoi j'ai pas une maman et un papa? Pourquoi personne ne veut de moi?» Dans mes rêves, je retrouve mes parents. On me dit de ne pas perdre courage: les services sociaux vont s'occuper de moi.

On m'envoie dans un camp de vacances. J'y retrouve mon frère Stéphane, mon cadet d'un an. On nous a réunis afin que nous gardions espoir. Nous ne nous quittons jamais, ravis d'être ensemble. Nous apprenons l'existence d'un autre frère, un peu plus jeune, Patrick. Nous devons le retrouver à la fin de l'été. On nous promet une vraie famille, avec un père et une mère. Après sept ans d'attente, ce n'est pas trop tôt.

Arrivée chez les Grégoire

Je viens tout juste d'avoir sept ans. Stéphane et moi allons rejoindre notre petit frère Patrick. Désormais, la famille qui l'a accueilli depuis quelques mois sera aussi la nôtre.

Notre travailleuse sociale, Diane, nous y conduit en auto. La campagne sent le printemps.

— Êtes-vous contents de retrouver votre petit frère Patrick?

— Oui!

— Vous allez voir: c'est beau là-bas. Il y a une maison de bois à deux étages, un grand champ et toutes sortes d'animaux.

— On arrive bientôt?

— Oui, Christian, dans cinq minutes.

L'endroit correspond à la description de Diane. Une dame, grande et mince, aux cheveux noirs, au visage creux, les yeux bleus, portant un chapeau de paille, sort de la maison et vient à notre rencontre.

— Bonjour, les enfants.

— Bonjour, madame.

Elle se tourne vers moi:

— C'est quoi ton nom?
— C'est Christian.
— Et toi?
— Stéphane.

La dame nous invite à entrer et nous fait visiter la maison. D'abord, il y a un vestibule qu'on appelle le «tambour». Une salle à manger et une cuisine avec un vaste comptoir occupent la moitié du rez-de-chaussée. La salle de bains est juste à côté. L'escalier menant à l'étage coupe l'espace en deux. Le salon se trouve de l'autre côté, sur le flanc gauche de la maison. En haut, trois chambres. La nôtre sera celle du coin gauche, donnant sur la façade.

— Madame, on peut voir ce qu'il y a dans la grange?
— Non, attendez que René soit là. C'est lui, mon mari, qui s'occupe de la ferme. Il va revenir ce soir. En attendant, profitez-en pour faire connaissance avec votre petit frère Patrick.
— Pouvons-nous aller jouer?
— Oui, allez-y. Patrick va vous montrer le chemin.

Une fois dehors, je m'exclame:
— Patrick, c'est le *fun* ici!
— Oui, y a en masse de place pour jouer. Un grand carré de sable avec plein de camions dedans. Un champ immense pour courir.
— Le monsieur et la dame sont gentils?
— Oui.

Je regarde partout autour de moi. Les herbes m'arrivent à l'épaule. Au bout du chemin, la grange semble énorme. À côté, une petite toiture rouge abrite le carré de sable.

Nous jouons tout l'après-midi dans le sable.

— Patrick, Stéphane, Christian, rentrez! Venez vous laver. On va bientôt manger.

L'auto de Diane n'est plus là. Elle est partie sans nous dire au revoir. (De fait, nous ne la reverrons guère.)

Nous rentrons. La dame nous ouvre la porte de la salle de bains:

— Venez, mes petits gars. Venez!

(Je me dis qu'on n'est pas ses petits gars.)

Elle nous assoit tous les trois dans le bain rempli d'eau. Après une quinzaine de minutes, elle revient changer l'eau. Trois fois, elle recommence l'opération.

Nous sommes encore dans le bain quand le monsieur arrive. Je l'entrevois. Il semble gros et grand. Habillé de vert, portant des bottes de construction, le visage basané, plein de cicatrices, les cheveux noirs, la voix grave.

— Bonjour, les gars. J'espère qu'on va bien s'entendre.

Au sortir du bain, je lui demande si nous allons pouvoir visiter la grange et voir les animaux:

— Vas-tu...

— Non, Christian, on ne dit pas «tu» ici, on dit «vous», c'est plus poli, reprend la dame.

— Allez-vous nous faire visiter la grange?

— Ça, non! coupe à nouveau la dame. Jamais de la vie. Vous allez vous salir! Vous venez tout juste de prendre votre bain! Demain vous aurez amplement le temps. Avez-vous faim?

— Oui!

— Aimez-vous le spaghetti?

— Oui!

Pendant le souper, tout le monde s'examine en silence. Après le repas, la télé: c'est Walt Disney! J'ai l'impression que je vais être heureux ici.

Le lendemain matin, mon frère et moi allons descendre l'escalier, quand la dame, en nous apercevant, nous fait signe de remonter dans notre chambre:

— Attendez que je vous le dise avant de descendre. À l'avenir, vous n'oublierez pas de me demander la permission avant d'aller en bas.

— Oui, madame.

Après le déjeuner, je lui demande comment elle veut que nous l'appelions.

— Pas par mon prénom. C'est pas poli. Vous pouvez m'appeler «maman».

Je m'étonne:

— Mais vous n'êtes pas notre maman.

— Je le sais, mais on va faire comme si je l'étais, o.k.?

— Et le monsieur?

— Vous lui demanderez ce soir quand il arrivera.

— Vous pouvez m'appeler René, dit-il.

«Maman» l'interrompt:

— Non, pas ça. Je leur ai dit aujourd'hui que ce n'était pas poli d'appeler les adultes par leur prénom.

— Bien. Appelez-moi «oncle René». Oui, c'est ça: oncle René.

Le lendemain matin, oncle René nous réveille tôt, mon frère Stéphane et moi.

— Vous venez avec moi faire le train?

— Ça veut dire quoi «faire le train»?

— Soigner les animaux, les nourrir, et tout ça.

Mon frère répond que ça ne l'intéresse pas.

— Et toi, Christian?

Son regard pèse lourd sur moi. Après le refus de mon frère, le mien n'est guère possible. Je m'en vais à la grange avec oncle René.

Une fois à l'intérieur, l'odeur du fumier me monte au nez. Je cache mon dégoût pour ne pas décevoir oncle René.

— Christian, viens ici. Regarde attentivement tout ce que je vais faire. Tu devras faire pareil, plus tard.

Il prend une fourche et ôte la bouse de vache sur la paille. J'observe autour de moi. Je compte deux vaches, six moutons, deux veaux et un taureau. Plus quelques petits chats qui s'élancent de tous les côtés. Oncle René continue de me parler et de me montrer comment séparer le foin, nettoyer et nourrir les animaux.

J'apprends très vite. Quelques jours plus tard, faire le train est devenu ma responsabilité.

L'été passe rapidement. La rentrée des classes arrive. On me réveille plus tôt que d'habitude.

— Christian, Christian, réveille-toi. Habille-toi. Fais vite! Debout! Prends pas trop de temps pour manger. Faut que tu fasses le train avant de te préparer pour l'école.

Je me dépêche. Avant de sortir, je demande:

— Oncle René, est-ce que ça va être comme ça tous les matins maintenant que l'école est commencée? Est-ce que je vais pouvoir dormir un peu plus tard des fois?

— Comment? T'es pas capable de rendre des services? Nous, on fait tout pour vous autres. On vous garde, on vous nourrit, on vous habille pour rien. Et qu'est-ce qu'on a en retour? Va-t'en travailler et vite!

Quelques minutes plus tard, il est venu me rejoindre pour surveiller mon travail. J'ai failli être en retard à l'école.

L'école

Un autobus scolaire nous cueille sur la route pour nous emmener à l'école du village. Le chauffeur nous désigne, à Stéphane et à moi, les places qui seront les nôtres. Troisième banc à gauche. Le véhicule s'arrête souvent pour faire monter des enfants. Je les regarde du coin de l'œil. Eux aussi nous examinent. Nous n'avons encore jamais fréquenté d'autres enfants du village.

L'autobus s'arrête en bordure de la cour d'école. Tout le monde descend. Stéphane et moi sortons les derniers. La foule d'enfants nous impressionne. Quelques têtes d'adultes dépassent. C'est la première fois que nous voyons une école (ma première année ayant été faite en institution).

Une cloche retentit. Tout le monde se met en rang. Je me place dans la deuxième rangée, tel que «maman» me l'a indiqué. Stéphane fait de même dans la rangée voisine, la première. Je lui envoie discrètement la main. Un gros «deux» est accroché au mur derrière mon institutrice. Elle s'appelle Colette. Un de mes voisins d'autobus se trouve derrière moi. J'ai remarqué qu'il habite près de chez oncle René. Je me présente à lui. Il se nomme Dany, a l'air gentil. Ses parents possèdent une grosse ferme. Cent vaches. Wow!

La cloche sonne une seconde fois. Silence. Nous entrons dans l'école. Je découvre un nouveau monde. Comme c'est grand! De vastes salles de classe et des rangées de cases à ne plus finir. J'entre dans ma classe. Nos noms sont inscrits sur de petits cartons placés sur nos pupitres. Ma place se trouve au dernier rang. Comme je suis l'un des plus petits du groupe, l'institutrice me fait changer de place. Elle m'installe en première rangée, juste à côté d'elle. Je suis content de l'importance qu'on me donne.

L'illusion ne dure pas longtemps.

Comme mon frère est souvent pris dans des bagarres, je dois le défendre sans me préoccuper de ses torts ou de ses raisons. Cela ne m'attire pas que des amis! Puis l'odeur de ferme dégagée par mes vêtements provoque des moqueries. Tous les surnoms y passent: le cochon, le salaud, la charogne... Je me bats plus souvent qu'à mon tour. Je finis par prendre l'école en grippe. Ce n'est pas mieux qu'à la maison.

Mes notes dégringolent. Les travaux de la ferme ne me laissent pas le temps de faire mes devoirs. Les rares fois où je sors mes cahiers pour essayer de comprendre quelque chose, «maman» refuse de m'aider.

— Tu ne seras jamais qu'un bon à rien! À l'école, ils ne veulent rien savoir de toi. Ils te font passer par charité! me dit-elle un jour.

Je refuse de la croire. Je remarque quand même que les professeurs, au début si gentils, se désintéressent de moi.

Je ne fous plus rien à l'école. Je hais l'école.

Marie-Pierre

Ça s'est passé avec une petite amie du village.

Elle s'appelle Marie-Pierre. Elle a six ans, j'en ai huit. Elle me demande de jouer au docteur avec elle. Étonné, je lui réponds: «Qu'est-ce que c'est?» Elle sourit: «On baisse nos culottes et on se regarde.» C'est ce que nous avons fait, en rigolant comme des fous.

Le lendemain, la mère de Marie-Pierre arrive à la maison en tirant sa fille par le bras. Elle fait une scène à «maman», lui racontant, scandalisée, ce que sa fille lui avait rapporté de nos jeux. La maison est pleine de monde. «Maman» reçoit une bonne vingtaine de personnes cette journée-là: une démonstration de produits Avon ou quelque chose du genre. Elle m'appelle en hurlant: «Christian!» Je suis en train de jouer dans le carré de sable. J'accours.

— Rentre au plus vite et pose pas de question, mon petit écœurant.

Elle me tire l'oreille à me la décoller et me flanque un coup de sabot dans le ventre.

— Qu'est-ce qui s'est passé, hier, avec Marie-Pierre? T'as joué avec ses parties, c'est ça, hein?

Fais pas l'innocent! Ah, mon petit hypocrite! Puis ferme ta gueule!

Elle ne me laisse pas répondre. Elle rage.

— Mets-toi devant le poêle puis arrête de pleurnicher!

Tout le monde me regarde. Je fige de gêne.

— Déshabille-toi! ordonne-t-elle.

Là, devant tout ce monde?

— Non, je ne veux pas.

Elle se jette sur moi, me frappe de ses poings et de ses sabots.

Je finis par me déshabiller, complètement, devant toute l'assistance. Je suis aussi terrorisé qu'humilié.

— Attends que René arrive, toi! Puis ferme ta christ de gueule. Si t'arrêtes pas de gémir je vais t'en sacrer toute une!

J'ai attendu deux heures, nu, devant tous ces gens qui me regardaient mais qui continuaient d'agir comme si de rien n'était. Oncle René finit par arriver.

— Qu'est-ce qu'il a fait encore, celui-là?

— Il a tripoté la petite Marie-Pierre, dit «maman».

Il se rue vers moi. Je me laisse tomber par terre pour me protéger des coups qui m'attendent. Je me sens comme si j'allais mourir.

— Non. Non, c'est pas vrai, c'est pas ça qui est arrivé!

— Ferme ta gueule. Je ne veux rien savoir de tes menteries.

Oncle René me demande combien de coups je mérite (selon l'habitude qu'il a prise de nous rendre responsables de nos propres punitions). Sachant que je n'ai rien fait de mal, j'hésite à lui répondre. Mais, craignant que sa sentence soit plus cruelle encore que la mienne, je réponds:

— Vingt.

René défait sa ceinture, commence par me donner des coups de pied dans le ventre avec ses bottes à bouts d'acier. Ensuite pleuvent les coups. Le cuir et le métal me traversent la peau. Quand je pleure, il redouble d'efforts, tout en m'assenant des coups de pied dans les côtes.

Pendant ce temps, personne parmi les adultes présents ne parle, personne ne bouge. Comme si cette scène était la plus normale du monde: un adulte bat sauvagement un enfant nu. Seuls mes deux frères pleurent à fendre l'âme, terrorisés. (Ils me diront plus tard avoir craint que René me tue.)

Je reçois finalement trente coups de ceinture. Bien comptés.

— Va-t'en dans ta chambre, crie René à la fin.

J'étais sur le bord de perdre conscience. Je monte les escaliers en le regardant et en me disant: «Je me souviendrai toujours de ce que tu m'as fait. Et je me vengerai, un jour, je le jure.»

Une fois dans ma chambre, je me jette sur mon lit et pleure toutes les larmes qu'il me reste. J'espère que quelqu'un vienne me consoler. En vain.

Ce soir-là, on m'interdit de souper et je reçus l'ordre d'aller finir les travaux de ferme. Je me sentais très faible, mais je n'avais pas le choix d'obéir. Je ne comprenais pas comment il était possible de traiter un enfant comme cela, quoi qu'il ait pu faire.

Quand, des années plus tard, j'ai vu un film racontant la vie de Martin Gray dans les camps de concentration allemands, curieusement je m'y suis presque reconnu. Cette cruauté, cette absence totale de compassion, les travaux éreintants, disproportionnés pour un enfant de mon âge, c'était ce que les Grégoire m'avaient fait connaître.

Avant-veille de Noël

Avant-veille de Noël 1979. J'ai huit ans et demi. Écœuré de la façon dont me traite oncle René, je me confie à «maman»:

— Maman, je n'en peux plus. Oncle René est toujours sur mon dos. Il me frappe tout le temps. Je voudrais m'en aller. Mes amis ne sont pas frappés tous les jours, eux autres. Ils reçoivent de l'argent quand ils travaillent, ils font des sorties, ils ont du plaisir...

— Mon petit christ, as-tu fini de te plaindre? On te nourrit, t'as un toit sur la tête. Il y a des enfants qui n'ont même pas le quart de ce que tu as!

— Moi, j'aimerais mieux rester dehors puis rien avoir, au lieu de manger des coups de *strappe* tout le temps.

— Ferme ta gueule! Attends un peu, toi...

Elle monte l'escalier, un grand sac de plastique à la main, puis redescend aussitôt, le sac rempli de mes vêtements.

— Va-t'en! Va-t'en! Sors de ma vue!

Elle me frappe à la tête avec son sabot et me gifle. Puis elle me serre la gorge de ses mains en me soulevant de terre par le cou. Son regard est rempli de haine. Elle me crache à la figure en me criant des injures. Puis me laisse retomber sur le plancher. Elle se jette sur moi pour tenter à nouveau de m'étouffer.

— Si c'est mieux chez les autres, vas-y. Sacre ton camp! Va-t'en!

Elle me traîne par le chignon du cou jusqu'à l'entrée de la maison, me pousse dans le tambour. Je déboule l'escalier. Elle lance le sac de vêtements par-dessus moi, referme la porte avec fracas et la verrouille.

Je suis tout en larmes.

— Maman, je ne sais pas où m'en aller! Je m'excuse. Je vous en prie, laissez-moi rentrer!

Elle ouvre la porte. Pour me balancer mes chaussures par la tête.

— C'est mieux chez les autres, hein? Qu'est-ce que t'attends pour y aller?

— Maman!

— Ferme ta maudite gueule.

— Maman, je m'excuse.

Je grelotte de sanglots. Pourquoi? Pourquoi ça m'arrive à moi? Qu'est-ce que j'ai fait au Bon Dieu pour mériter tout ça? Est-ce que je cours après mes malheurs? Oui, ça doit être ça. J'imagine le Bon Dieu me dire: «Tu fais toujours fâcher oncle René, tu fais de la peine à «maman», t'es méchant, Christian. T'es rien qu'un bâtard. Tu fais tout pour que ça aille mal.»

Je n'arrêtais pas de me parler intérieurement, tout en continuant à gémir. Plus de quatre heures s'étaient écoulées lorsque «maman» m'ouvrit enfin la porte.

— Rentre ici avec tes maudites guenilles.

— Excusez-moi, maman, je ne recommencerai plus jamais. Je ne le dirai plus, c'est promis, je ne veux pas vous faire de peine.

— Rentre au plus vite. Tu passeras en dessous de la table ce soir. Pas de repas pour un ingrat.

— Maman, non!

— Ferme ta gueule. Fais ce que tu viens de me promettre. Monte dans ta chambre. Tu redescendras quand oncle René reviendra.

— Non, maman, non. Ne lui racontez pas. Je vais faire tout ce que vous allez me demander à l'avenir.

— Monte dans ta chambre, j'ai dit!

Je lui obéis, range mes affaires dans mes tiroirs et me couche en pleurant. J'essaie de me rassurer en pensant que «maman» ne dira rien à l'oncle René.

Le soleil se couche. Oncle René va bientôt rentrer. Je l'entends demander:

— Il est où, Christian? Il n'a pas commencé à faire le train encore?

— Non, je l'ai mis en punition dans sa chambre.

— Qu'est-ce qu'il a fait encore? Il faut toujours qu'il fasse de la merde, celui-là.

— Il s'est mis à chialer que c'était mieux chez les autres. Le petit christ... Il ne voudrait pas travailler, il voudrait tout le temps jouer...

— Christian, descends tout de suite! vocifère oncle René. T'en as fait une belle aujourd'hui! T'aimes donc ça te faire corriger?

— Non, j'ai promis à maman que je ne recommencerais plus.

— Ferme ta christ de gueule. Les animaux n'ont pas encore mangé à cause de toi. Viens ici!

— Mais, oncle René, j'ai promis à maman, j'ai promis...

Il m'empoigne par le bras et me couche sur ses genoux en baissant ma salopette. Il retire sa ceinture, la plie en deux. Il commence à me donner des coups sur les fesses. Il frappe sans arrêt, indifférent à mes cris, à ma douleur. Jusqu'à ce qu'il soit épuisé. J'ai les fesses en sang et les mains toutes rouges d'avoir essayé de me protéger.

Quand il estime avoir terminé, il dit:

— Va faire le train. Tu ne mangeras pas ce soir.

— Je lui ai dit la même chose, ajoute «maman» en souriant.

Je remonte mes sous-vêtements et ma salopette. En trébuchant, je m'en vais faire le train.

Premier abus sexuel

Après deux années passées dans cette famille, je croyais avoir vécu le pire. Je me trompais.

Nous sommes à l'été 1980, il fait soleil. J'ai neuf ans.

— Debout, là-dedans, y a pas mal d'ouvrage qui vous attend, les gars! nous crie l'oncle René.

— Christian, ramasse tes traîneries dans ta chambre. Calice, c'est pire qu'une soue à cochons.

Je bredouille une excuse:

— Je suis pas tout seul dans cette chambre-là...

— Ferme ta christ de gueule. Grouille-toi!

Je reçois une vigoureuse tape derrière la tête. Je me retrouve à quatre pattes. Je pleure. Je range mes affaires et descends déjeuner.

— Et tu penses avoir le temps de manger? lance oncle René.

— Non, je vais aller faire le train.

— Dépêche-toi, t'as assez perdu de temps.

En chemin, je m'arrête pour soigner Rex et Chouquette, nos deux chiens.

— Toi, Rex, t'es gentil, t'es mon meilleur ami, t'es mon petit coco.

Dans la pénombre de l'étable, je me dis qu'il fait si beau dehors que j'aurais préféré jouer avec mon copain Dany, le fils du voisin, au lieu de travailler. Mais il faut bien soigner les animaux, les nourrir, nettoyer le plancher de leurs excréments, pomper l'eau et la transporter de la maison à l'étable (où il n'y a pas encore l'eau courante). C'est ensuite le tour du poulailler. Je ramasse les œufs et nourris les poules. Une rage me monte au cœur.

— Tiens, toi, mange ça! que je crie au coq en lui tordant le cou. Moi aussi, tu vois, je peux être mauvais et très méchant!

En terminant ces mots, je me mets à pleurer. Je prends le coq dans mes bras et, surmontant la peur qu'il me blesse en se débattant, je le serre contre moi et le berce comme un enfant:

— Excuse-moi, je ne voulais pas te faire de mal. Christian n'est pas aussi méchant qu'oncle René. Rien qu'un petit peu, des fois, quand il est fatigué.

Je regagne la maison.

— As-tu tout fait comme il faut? demande oncle René.

— Oui, j'ai donné de l'eau et du foin aux vaches, j'ai trait Babette, puis...

— T'as pas besoin de tout me raconter ça, innocent! Je t'ai juste demandé si t'avais fait ton ouvrage. Va laver les œufs. Après tu iras ramasser le foin dans le champ. Demande à ton frère Stéphane de t'aider.

— Puis après ça je pourrai manger un peu?

— Seulement si tu te grouilles.

Stéphane est en train de jouer dans le carré de sable avec Patrick.

— Stéphane, viens m'aider!

— Non, c'est pas à moi de faire ça. T'es pas capable de faire ton ouvrage tout seul?

— Je vais aller le dire à oncle René, si tu veux pas. C'est lui qui m'a dit de venir te chercher.

— Non, non, fais pas ça.

Puis, Stéphane se tourne vers Patrick:

— Toi, touche pas à mes camions et défais pas mes chemins durant ce temps-là.

Nous sommes à travailler aux champs, mon frère et moi. L'après-midi se termine.

— Christian, Stéphane, venez ici! crie oncle René par la fenêtre.

— Qu'est-ce qu'on a encore fait? me demande Stéphane.

— T'en fais pas, je vais passer en premier, que je lui réponds.

Nous regagnons la maison.

— Vous avez bien travaillé, les gars, aujourd'hui. Allez ranger vos fourches et demandez à notre voisin Jacques si vous pouvez aller vous baigner dans sa piscine. Christian, oublie pas de faire le train de six heures.

— Oui, mon oncle René. Merci beaucoup, merci.

«Maman», sortie pour la journée, nous a toujours interdit d'aller nous baigner chez Jacques.

Nous sommes partis jouer dans l'eau. J'étais content de ce répit inattendu.

— Stéphane, il est gentil, oncle René. C'est la première fois qu'il nous donne la permission d'aller dans la piscine de Jacques.

— C'est parce qu'il nous aime, Christian.

Tel que prévu, je m'en retourne faire le train de six heures.

Au retour, oncle René m'accueille, pour une fois, avec un air satisfait:

— Bien, Christian. As-tu bien travaillé aujourd'hui?

— J'ai tout fait comme il faut.

— J'ai pas besoin d'aller vérifier?

— Non.

— Va te laver: on s'en va au restaurant.

Décidément, c'est un jour pas ordinaire. Au restaurant, oncle René commande du poulet pour nous tous.

En sortant de la rôtisserie, oncle René dit:

— Eh, les gars, ça vous tente d'aller manger de la crème glacée?

Nous crions «Oui!» à l'unisson. Chacun choisit sa saveur préférée.

Nous rentrons ensuite à la maison.

— Es-tu sûr qu'à la grange tout va bien, Christian? Tu as bien nourri les animaux? Je n'ai pas à vérifier?

— Non, oncle René, tout est correct, comme je vous l'ai dit tantôt.

Il est onze heures du soir environ. L'homme s'installe devant la télé pour écouter les nouvelles, son coude posé sur la table, la tête appuyée sur sa main. Assis près de lui, je ne porte guère attention à la télé. Je suis songeur.

— Il est assez tard les gars, vous pouvez aller dormir.

Nous montons nous coucher. Entre éveil et sommeil, je revois défiler la journée. Peut-être oncle René nous aime-t-il, après tout, même s'il nous frappe. Des bruits dans l'escalier mettent fin à ma réflexion. Oncle René se dirige vers sa chambre.

— Christian, viens ici.

Qu'ai-je fait de mal? C'est la première fois qu'il m'appelle à sa chambre. Je sais qu'il n'est pas fâché comme d'habitude: sa voix n'exprime pas la colère. Je ne sais que penser.

Je me rends tout de suite à sa chambre. La veilleuse est allumée. Dans l'embrasure de la porte, je vois qu'il est étendu sur son lit, en sous-vêtements.

— Viens ici, Christian, viens t'étendre à côté de moi.

Je me méfie.

— Non, mon oncle René, je suis fatigué et j'ai envie de dormir. J'aimerais mieux me coucher dans mon lit.

— Non, viens ici.

Sans plus de résistance, je vais m'étendre à côté de lui. On dirait que toute existence cesse à l'intérieur de moi. J'entends seulement ses paroles et mon cœur qui bat comme un tambour.

Il ôte ses sous-vêtements, me demande de prendre son pénis dans ma bouche. Je ne sais pas comment faire.

— C'est pas comme ça! T'as pas la bonne façon, calice! grogne-t-il.

Il me flanque une tape derrière la tête. J'éclate en sanglots. J'essaie de faire comme il exige. Il retient ma tête contre son sexe. Mon corps et mon âme étouffent. C'est interminable. Il me demande de me déshabiller. Je refuse et le supplie de me laisser m'en aller. Je dis que «maman» devrait bientôt revenir. Il m'ordonne à nouveau d'enlever mes sous-vêtements. Je lui obéis. Il prend mon pénis dans sa bouche et lui fait des succions en me disant: «T'es capable de le mettre plus dur, mets-le plus dur, qu'est-ce que t'attends?» Je n'ai aucune réaction. Il me mord à la base du pénis jusqu'au sang, tout en continuant de s'activer sur moi. En larmes, sans réaction, j'essaie d'oublier ce qui arrive, d'être ailleurs dans ma tête. J'espère juste que ça finisse au plus vite.

Je ressens comme un picotement, comme si j'avais envie d'uriner. Je lui dis:

— Il faut absolument que j'aille aux toilettes.

En descendant l'escalier, l'atmosphère me paraît irréelle: pour la première fois je me promène nu dans la maison. Je m'interroge: qu'est-ce qui m'arrive? Et c'est quoi ce picotement? Aux toilettes, je veux uriner mais rien ne sort. Je tire la chasse d'eau et remonte l'escalier.

— Viens-t'en, Christian.

Je retourne m'étendre à côté de lui. Il me demande de reprendre son pénis dans ma bouche. Il jouit dans ma gorge. Je vomis à côté du lit et il me pousse en bas en hurlant:

— Va nettoyer ça au plus christ! Dépêche-toi!

Je descends à la cuisine chercher un torchon et je nettoie mes dégâts.

— Mets de la poudre à bébé sur le plancher, ça va enlever l'odeur, ajoute oncle René.

En remontant dans la chambre j'ai vu qu'il dormait. J'ai remis mes sous-vêtements et je suis retourné à mon lit. J'ai pleuré une grande partie de la nuit. Je me demandais pourquoi tout cela m'arrivait et j'implorais Dieu de venir me chercher, tellement j'avais mal à l'intérieur de moi. Je préférais mourir plutôt que de revivre ça. C'était encore pire que les coups, auxquels il avait bien fallu m'habituer puisqu'il me battait tous les jours. Je pensais: Mon Dieu, venez me chercher comme Bruno (l'enfant que les Grégoire avaient eu et qui était mort peu après sa naissance)! Je me suis finalement endormi là-dessus. Je n'ai jamais oublié cette journée-là.

Cela allait se reproduire plusieurs fois par la suite. Il venait me rejoindre la nuit, quand je dormais, pour me demander de sucer son pénis ou de le masturber. J'en suis arrivé à avoir peur de dormir. Je sursautais au moindre bruit.

Aujourd'hui encore, j'arrive rarement à dormir toute une nuit d'affilée. Et mon sommeil agité de cauchemars est hanté par un fantôme qui ressemble étrangement à l'oncle René.

Rodéos

Un après-midi, oncle René revient à la ferme avec trois chevaux, dont l'un encore sauvage.

— Ça va faire des bons *shows* de rodéo, ça! lance René à ses voisins venus l'aider à maîtriser l'animal, qu'on transfère de son cagibi roulant à l'enclos.

L'étalon ne se laisse pas approcher. Les tentatives pour le harnacher restent vaines. Il ne cesse de ruer, de se cambrer. Les hommes s'acharnent sur lui. Je regarde la scène de loin. Quelle bête! Personne n'arrivera à la monter. Je l'admire de tenir tête à oncle René.

Quelques jours plus tard, oncle René m'appelle. Il crie à ses compagnons:

— Essayez d'amener le cheval près de la clôture. Christian va le monter.

Puis, se tournant vers moi:

— Agrippe-toi à sa crinière!

Je suis mort de peur. Je ne tiendrai jamais en place plus de quelques secondes. Si je tombe, je risque de me faire assommer ou piétiner. Je n'ai que neuf ans. J'essaie de cacher ma frayeur de mon mieux; si oncle René s'en aperçoit, ce sera pire.

Sur le bord de la clôture, prêt à enfourcher l'animal, j'hésite encore.

— Vas-y, hostie de peureux! gueule oncle René.

Pas le choix. Je chevauche la bête furieuse. Désespérément, je me cramponne à sa crinière. C'est la chute. J'ai mal. Je m'élance vers la clôture. Mon visage et mes vêtements sont pleins de terre. Oncle René rigole.

— Ramenez le cheval, Christian va y retourner!

Je n'en crois pas mes oreilles. Je remonterai l'animal et retomberai jusqu'à épuisement. Telle fut ma première leçon de rodéo.

Quelques centaines de chutes et d'ecchymoses plus tard, me voilà aguerri aux tactiques de Ti-Coq — c'est le nom du cheval — pour me désarçonner ou me mordre. Régulièrement, oncle René m'amène participer à des spectacles de rodéo organisés par les fermiers de la région. La peur me colle toujours au ventre, mais je suis fier de moi. On reconnaît enfin que je suis bon à quelque chose.

Des années plus tard, lorsque sur le taureau mécanique de La Ronde je battrai le record d'endurance, mes amis resteront ébahis. Moi seul saurai le fin mot de l'histoire.

Jimmy

Un événement m'a révélé que «maman» pouvait être chaleureuse et que même oncle René arrivait à se montrer sensible.

Ce samedi-là s'annonçait agréable. C'était l'été. J'entendais les rires de mes frères qui s'amusaient dans le carré de sable. Il faisait soleil, dans ma tête comme dehors. Oncle René ne devant revenir qu'en soirée de la ville, où il était allé faire des achats, je pourrais me reposer de ses exigences et de ses colères. Le train du matin terminé, j'imaginais mes activités de la journée: aller jouer avec mon ami Dany, me chamailler dans le foin avec lui, manger des pommes dans le verger, me promener à bicyclette...

«Maman» avait accepté de prendre soin d'un enfant du village dont les parents s'étaient absentés pour le week-end. Jimmy avait six ans. Bien qu'il fût plus jeune que moi de quatre ans, je m'entendais bien avec lui.

En entrant dans la maison, je saluai Jimmy. «Maman», occupée à faire le lavage, s'arrêta un instant, regarda mes vêtements, dégoûtée:

— Tabarnak, Christian, comment peux-tu mettre autant de fumier sur tes vêtements? Tu te roules dedans ou quoi?

— Non, maman, je le fais pas exprès. C'est pas de ma faute.

— Bien oui. On sait bien. C'est jamais de ta faute. C'est la faute du petit voisin, je suppose?

— C'est pas ce que je voulais dire.

— Ferme-la. Puis va te changer de vêtements au plus christ. C'est toi qui vas prendre soin de Jimmy aujourd'hui. Moi, j'ai pas le temps. J'ai trop de choses à faire. Tu vois bien que je lave tes guenilles, là!

— Mais, maman, je voulais aller....

— Aie! Arrête un peu, toi. C'est pas parce que René est pas là que tu vas pouvoir courir d'un bord puis de l'autre comme tu veux. Va te changer et fais ce que je te demande.

Déçu, je me dis que je pourrai quand même m'amuser avec Jimmy.

Baseball, course dans les champs, visite de la ferme, Jimmy semblait heureux de sa journée:

— Christian, t'es chanceux, toi. T'as plein d'animaux. T'as un grand champ où courir.

— Oui, je le sais. Y a pas le quart des enfants qui ont ce que j'ai. Maman me le répète souvent.

— J'aimerais ça être à ta place.

— Ne dis pas ça, Jimmy. Tu ne serais pas toujours content si tu étais à ma place... Puis, tu sais, mon oncle René voudrait jamais qu'on change de place, toi et moi. «Maman» non plus. Changer de famille, ça se fait pas. Toi, t'es chanceux d'avoir la tienne. Moi, à dix-huit ans, ce sera fini.

— Pourquoi?

— Parce que une fois adulte on peut faire tout ce qu'on veut. Vivre où ça nous plaît... L'heure de faire le train arrive, Jimmy. Va falloir que je te ramène à la maison.

— C'est quoi ça, faire le train?

— Faut que je nourrisse les animaux, que je les nettoie.

— Je ne peux pas rester avec toi? S'il te plaît, Christian.

— Non, mon oncle René m'en voudrait à mort. Il veut que personne reste avec moi quand je travaille. Il a peur que je joue en même temps.

Oncle René est revenu après le souper, vers sept heures. Il se montrait aimable avec tout le monde. Il nous envoya nous coucher aux alentours de neuf heures.

— Jimmy couche avec toi, Christian.

— Oui, mon oncle René. Bonne nuit!

Une fois couché, je chuchote à Jimmy:

— C'est le *fun* de t'avoir en visite chez nous. Mon oncle René est plus gentil. J'ai passé une très belle journée avec toi, Jimmy.

Il sourit.

— Arrêtez de parler en haut. C'est le temps de dormir, crie oncle René.

— Pourquoi il a l'air fâché qu'on dorme pas tout de suite? interroge Jimmy.

— Chut! On n'a pas le droit de parler le soir quand on est dans notre chambre.

— Fermez vos gueules en haut. Attendez pas que je monte!

— Non, non, c'est o.k., que je réponds pour calmer oncle René.

Mais pris par l'euphorie de cette journée, nous continuons de chuchoter. À voix basse, mes frères, qui occupent le lit voisin, se joignent à notre conversation.

— Mes tabarnaks, attendez que j'arrive!

Aussitôt ces paroles prononcées, oncle René monte les marches en vitesse, en détachant sa ceinture. Mes frères et moi, nous nous cachons de notre mieux sous les couvertures. Seul Jimmy, qui ne comprend pas la situation, reste là, à découvert, dans la pénombre. Oncle René se met à frapper sur lui de toutes ses forces. Jimmy crie. Son visage saigne. Oncle René réalise qu'il vient de brutaliser Jimmy. Il laisse alors tomber sa ceinture, prend l'enfant dans ses bras, le serre contre lui.

— Calme-toi, Jimmy. René ne voulait pas te faire de mal...

Il redescend l'escalier en portant le petit. «Maman», à son tour, caresse Jimmy, essuie le sang qui coule sur son visage avec une serviette.

Je regarde la scène à travers les barreaux de l'escalier. Je pleure. Jamais oncle René ni «maman» ne m'ont pris dans leurs bras. Jamais ils ne m'ont consolé. Jamais ils n'ont pansé mes blessures, parfois bien plus graves que celles de Jimmy, toutes ces fois qu'oncle René m'a battu.

Tout à coup, oncle René se ramène. Je regagne ma chambre en vitesse et me camoufle à nouveau sous les couvertures. Je tremble de peur. René allume la lampe, jette toutes les couvertures en bas du lit.

— Ah! mon petit christ! T'as voulu en profiter, hein? Tu m'as pas dit que je bûchais sur Jimmy...

S'abat alors sur moi une rafale de coups de ceinture. L'homme continue de hurler:

— Pour qui on va passer par ta faute, hein? Ses parents vont dire qu'on est des bons gardiens, hein? On va passer pour des beaux salauds à cause de toi!

Il délire de rage. Sa respiration est rapide et forte. Il frappe et frappe encore, plus fort que jamais. Je perds conscience.

J'ai repris mes esprits plus tard dans la nuit. J'avais des enflures et des plaies partout. Mon corps entier faisait tellement mal que je n'endurais aucune position. Je sanglotais en silence. Je me suis couché en boule par terre. C'est là que, épuisé, j'ai fini par trouver le sommeil.

Je me suis aperçu le lendemain matin que Jimmy avait passé la nuit dans le lit d'oncle René et de «maman», qui s'appliquèrent, jusqu'à son départ, à le consoler et à le dorloter. Il n'est plus jamais revenu à la maison, pas même pour jouer. Ni «maman» ni oncle René ne reparlèrent de ce qui s'était passé cette nuit-là.

L'église

Je me rendais parfois à pied à l'église, lorsque j'en avais le temps. C'était loin, sûrement près de trois kilomètres. Je n'avais plus que Dieu à qui me confier. Je le priais afin qu'oncle René nous batte moins, mes frères et moi. Je demandais à Jésus de venir nous chercher pour nous emmener au ciel avec lui. Lui qui avait tellement souffert sur sa croix devait être capable de comprendre.

En mon for intérieur, j'espérais que le prêtre s'aperçoive de ma souffrance. Mais il passait à côté de moi sans me voir. Comme tous les gens du village, qui trouvaient que nous étions sales, mal vêtus et que nous empestions le fumier. Même dans cette église, je me sentais rejeté. Le Bon Dieu, m'avait-on répété lors de ma première communion, était là pour me protéger. Qu'attendait-il? Pourquoi restait-il insensible à mes prières?

Punitions insensées

C'était à se demander si oncle René voulait ma peau. Allait-il me tuer ou me permettre de vivre? Son alcoolisme, sa violence lui faisaient perdre tout contrôle. Plus d'une fois j'ai cru y passer.

Oncle René gardait une carabine 303 de l'armée cachée derrière la lessiveuse. Un jour qu'il n'est pas là, l'envie me prend de voir l'arme de plus près. Elle est très lourde et j'ai de la difficulté à la sortir de son étui, qui l'enserre. Il y a bien quinze minutes que j'essaie de déballer la fameuse carabine lorsque j'entends des pas derrière moi. C'est oncle René.

— Qu'est-ce que tu fais là, mon petit sacrament?

— Hein!

Tout surpris de cette irruption, je bégaye une explication:

— Je voulais juste voir ce que c'était...

— Je t'ai jamais appris à ne pas fouiller où il ne fallait pas?

— Oui. Je m'excuse.

Je fonds en larmes. La peur m'envahit. Je pressens qu'il va arriver quelque chose de terrible.

— Donne-moi ta main, ordonne René.

Il la prend dans la sienne et l'écrabouille de toutes ses forces.

— C'est ça qui arrive à ceux qui mettent les mains où il ne faut pas.

Son haleine pue l'alcool. Il sort l'arme de son étui, la pointe vers moi.

Je frémis d'angoisse.

— Non, non, ne faites pas ça! Je ne recommencerai plus, c'est promis.

Terrifié, je ferme les yeux pour ne pas voir ce qui va arriver. Il m'ordonne de sortir dehors avec lui. J'obéis. Il marche vers la grange. Arrivé là, il crie: «Ben, Carrie, venez ici!» Ce sont les deux petits dobermans dont Chouquette a accouché il y a quatre mois. Ils courent vers nous, croyant que nous venons les nourrir. Froidement, oncle René les abat devant moi.

— C'est à ça que ça sert une carabine, conclut oncle René.

Je m'écrase de douleur sur l'un des cadavres. Par ma faute, les deux chiens auxquels je m'étais tant attaché, que je nourrissais et choyais comme des bébés, que je voyais comme mes anges protecteurs, sont morts. Et c'est moi qui les ai tués! Je ne me le pardonnerai jamais.

— Quand la fourrière viendra les ramasser, tu diras que c'est le voisin qui les a descendus parce qu'ils étaient toujours rendus chez lui, ajouta René avant de retourner à la maison, sa carabine à la main.

Quelques jours après l'un de ses assauts sexuels, oncle René fait irruption dans la grange alors que j'y travaille.

— Christian, as-tu séparé les galettes de foin pour les animaux?

— Non, j'allais le faire.

Il me suit pas à pas, scrute chacun de mes gestes. Je descends des balles de foin. Lui, il empoigne une fourche, ramasse le foin tombé par terre. Je coupe les cordes retenant la balle, la divise en portions pour les animaux. Je risque une question:

— Oncle René, je sais que vous m'aimez, mais pourquoi faites-vous ces choses-là, je veux dire coucher avec moi?

— C'est pour votre bien que je suis sévère avec vous autres.

Il n'a pas répondu à ma question. Je me tais. Je m'apprête à continuer mon travail plus loin dans la grange. Il me retient.

— Christian, t'es sûr de rien oublier?

— Oui.

— Les cordes que tu as coupées sont restées par terre. Si tu les mélanges avec le foin, les vaches vont les avaler et s'étouffer.

Calmement, je cherche les cordes.

— Je ne les vois pas.

— Ouvre-toi les yeux, Christ!

Il hausse le ton, agressif.

— Elles sont en dessous de tes pieds, innocent!

En disant cela, il lève la fourche qu'il tient à la main et me la plante dans le pied.

— T'es aveugle ou quoi!

Je me tords de douleur, tente en vain de retenir mes larmes. Il retire la fourche de mon pied.

— Ramasse-les tes maudites cordes avant que je te sacre un coup sur la tête!

Pendant que je termine mon travail, mon bas s'emplit de sang. Je regagne la maison en boitant, me lave le pied. La blessure faite par l'une des pointes de la fourche semble moins profonde que je le croyais: un à deux centimètres. Je la panse de mon mieux. Seul. Ni René ni «maman» ne me parlèrent de ma blessure.

À part les taloches quotidiennes, avec ses mains aux grosses bagues qui laissaient des cicatrices partout sur ma tête et sur mon visage, deux punitions avaient la préférence d'oncle René. La première consistait à nous mettre à genoux dans le gravier à côté de la maison, les bras en croix. Durant des heures interminables, défense de bouger. Nous finissions par avoir les genoux en sang.

La seconde punition tombait sur nous, sans mobile apparent, lorsqu'il pleuvait. René nous faisait mettre nus, mes deux frères et moi, puis nous obligeait à sortir dehors et à courir sous la pluie, l'un derrière l'autre, autour de la maison.

— Ça va vous sortir les mauvaises idées du corps, ça va vous nettoyer l'esprit, disait-il.

Mes frères et moi n'y comprenions rien. En apercevant ces trois petits garçons, complètement nus sous la pluie battante, tourner autour d'une maison, les autos qui passaient sur la route ralentissaient. Puis les gens poursuivaient leur chemin. Peut-être pensaient-ils qu'il s'agissait d'un jeu. S'ils s'étaient approchés de nous, ils auraient vu nos larmes se mêler à la pluie.

Aujourd'hui encore, je ne vois pas comment ces punitions, soi-disant pour notre bien, auraient pu nous être profitables. À l'évidence, il n'y avait pas un brin d'amour là-dedans.

Un nouvel espoir

Onze ans et demi. En descendant l'escalier ce matin-là, je vois «maman» qui pleure et menace quelqu'un au téléphone:

— Non, vous ne me l'enlèverez pas, c'est pas vrai. Vous pouvez pas me faire ça après quatre ans. Il est bien ici. Il a tout pour être heureux!

Brusquement, «maman» raccroche le récepteur. Les mains dans la figure, elle sanglote. Elle lève la tête vers moi.

— Christian, viens ici.

— Oui, maman.

— Sais-tu ce qu'ils veulent faire? Ils veulent t'envoyer dans un foyer de groupe, comme ils ont fait pour Stéphane et Patrick...

À cause de nos difficultés scolaires manifestes et des soupçons de mauvais traitements (quoique jamais nous n'en avions parlé: les marques sur nos corps parlaient d'elles-mêmes), les services sociaux avaient entrepris de nous retirer de la garde des Grégoire. Patrick fut le plus facile à recaser. Puis ce fut Stéphane. Mon tour était venu.

— Non, «maman», je ne veux pas aller dans une chambre où il fait toujours noir, où on nous frappe tout le temps.

— T'as vu ce qu'ils ont fait à Patrick, hein?

Lors de sa dernière visite, Patrick arborait en effet un œil au beurre noir. «Maman» m'avait dit qu'il avait été frappé par les gardiens du foyer de groupe. (Patrick m'apprit, plus tard, que c'était faux: il était tout simplement tombé.)

— Oui, maman. J'ai peur.

Je souhaitais depuis longtemps partir de la maison, mais pas pour me retrouver dans une situation pire encore!

Cet après-midi-là, je me retrouve au Tribunal de la jeunesse, où «maman» est obligée de se présenter. Dans un petit bureau, une dame que je ne connais pas me dit qu'elle veut m'aider. Je ne la crois pas. Je proteste:

— Je ne veux pas aller dans une chambre où il fait noir, où ils nous frappent tout le temps, comme le fait oncle René!

— Oncle René te frappe, Christian?

— Oui, tous les jours, parce que je suis tannant, parce que je fais pas le train comme il faut, et des fois je ne sais même pas pourquoi...

— Ah bon... Dis-moi, Christian, qui t'a raconté que tu irais dans une chambre toute noire?

— Maman m'a raconté comment ça se passe là-bas. Elle dit aussi de ne pas vous répéter ce qui se passe à la maison. «Ça doit rester à la maison», qu'elle a dit. Je ne vous dirai plus rien.

— Christian, t'as pas à t'inquiéter. Tu vas aller dans une maison où tu auras plein d'amis de ton âge. Et personne ne va te frapper.

— Non, ce n'est pas vrai. Maman me l'a dit. Je ne vous crois pas!

Je sors en trombe du bureau.

Je repars à la maison avec «maman». Ce soir-là, pour la première fois, elle dort avec moi, sur le divan d'en bas.

Le lendemain matin, «maman» doit retourner au Tribunal. En route, elle me demande:

— Christian, ça te tenterait d'aller chez Lucie?

— Qui ça?

— Celle qui t'a mis au monde, ta vraie mère, voyons.

— Oui, oui, j'aimerais ça... Mais pourquoi je ne peux pas rester avec vous?

— Parce qu'ils peuvent essayer de t'enlever à moi ou venir te chercher à la ferme. C'est pas ça que tu veux, non?

— Non, maman, non.

«Maman» me dépose devant la porte de ma vraie maman. Avant de me quitter, elle me rappelle de ne rien lui raconter de ce qui se passe à la maison. Ça doit rester entre nous. Je promets.

Ma mère, dont je me souviens à peine, semble contente de me voir.

— Bonjour, Christian, comment ça va? Tu veux qu'on aille dans le parc, juste en face?

— Oui... euh....

— Tu peux m'appeler maman, si tu veux. Tu sais, c'est moi ta vraie mère.

— Oui, c'est le *fun*, je vais avoir deux mamans.

Nous allons nous promener dans le parc.

— Maman, j'aimerais ça avoir un chandail avec un gros camion dessus, comme celui du garçon là-bas.

Elle me conduit dans un grand magasin et m'achète le chandail convoité. Je suis au septième ciel. Et tout impressionné.

— Ton autre maman, elle t'emmène jamais dans les magasins?

— Non, elle reçoit des boîtes de vieux linge des voisins. Elle n'a pas d'argent pour nous habiller.

— Mais, Christian, le service social lui donne de l'argent pour vous habiller: toutes les familles d'accueil en reçoivent.

— Non, maman n'en reçoit pas, elle.

Ma vraie maman me conduit au restaurant. Elle est gentille avec moi. Me sentant en confiance, j'oublie ma promesse et lui raconte ce qui se passe à la maison: les disputes, les fessées, le travail épuisant. Je lui dis que je ne veux pas rester là. Mais je ne veux pas, non plus, me retrouver enfermé dans une chambre où des gardiens viendraient me frapper. Maman me regarde dans les yeux:

— Christian, veux-tu retourner chez les Grégoire?

— Non, maman, j'ai trop peur d'eux autres.

Nous nous rendons chez un ami de ma mère. De là, elle me fait téléphoner chez oncle René pour lui dire que je ne veux pas retourner chez lui.

Je tremble d'émotion et de crainte. Oncle René est en furie:

— Christian, t'es mieux de revenir à la maison au plus vite, sinon...

— Non, je ne veux pas revenir. Vous êtes trop méchants avec moi.

— Mon petit tabarnak, je suis mieux de ne pas te retrouver! Je vais te tuer!

Je raccroche, effrayé. Je panique:

— Maman, j'ai peur. Je dois me cacher, loin, loin.

— T'en fais pas, Christian, on va faire semblant qu'on est partis en Ontario.

Les policiers nous retrouvent deux jours plus tard. J'ai été déclaré en fugue. Ils m'emmènent au Tribunal de la jeunesse. Je ne veux pas les suivre. Lorsqu'ils parlent de me renvoyer chez les Grégoire, j'éclate:

— Non, non, je ne veux pas retourner là. Ils vont me tuer, c'est sûr. Pitié! Ne faites pas ça...

Les policiers contactent mon nouveau travailleur social, Denis. Je lui raconte toute mon histoire. Il me renvoie chez ma vraie mère.

Je suis content. Je n'arrête pas de me répéter:

— C'est bien fini les chicanes, les volées, les choses qu'il me demandait de faire la nuit, le travail forcé à la ferme! Je vais enfin pouvoir vivre comme les autres gars.

Je pleure de joie. C'est la première fois que ça m'arrive. J'ai hâte de voir ce que l'avenir me réserve. Je suis certain que le pire est passé.

La quatrième dimension

Un week-end chez ma mère, et mon passé chez les Grégoire commence à s'estomper de ma mémoire. Je redeviens un garçon comme tous les autres. En attendant que maman s'organise pour me garder en permanence, je séjournerai en foyer de groupe durant la semaine. Ma mère me reprendra avec elle tous les week-ends.

Au foyer, je me retrouve avec sept autres garçons «qui ont tous eu des problèmes», souligne l'éducatrice. «Mais il serait préférable que vous n'en parliez pas trop entre vous», ajoute-t-elle. Compris!

Je retourne à l'école. Ça fait un an et demi que je n'y ai pas mis les pieds. En effet, après avoir été hospitalisé quelques mois à la suite d'une appendicite aiguë, je n'étais pas retourné en classe. À l'école comme au foyer, la vie me paraît maintenant paisible. Je me fais rapidement de nouveaux amis. Personne ne sait ce que j'ai vécu. Tant mieux.

Première sortie chez maman.

— Christian, veux-tu garder ton petit frère? Je vais chez des amis ce soir. Je vais te donner un peu d'argent.

— Oui, maman. Est-ce que je peux prendre des cigarettes dans ton pot?

— Christian, à onze ans, tu trouves pas que t'es un peu jeune pour fumer?

— Mais, maman, j'aime ça!

— Bon, c'est o.k. Mais ne te rends pas malade.

On sonne à la porte. J'ouvre. C'est le nouvel ami de maman. Elle lui crie de la salle de bains:

— Attends-moi dans la cuisine, c'est mon fils Christian qui est là.

— Salut, Christian, moi c'est John, me dit l'homme.

Il est costaud, porte un habit tout noir et des chaussures qui brillent. Il me fixe de ses gros yeux sombres. Je lui réponds:

— Salut, John. Maman m'a parlé de toi.

— Tu fais quoi de bon, ces temps-ci, Christian?

— Je vais à l'école. Je suis en sixième année. J'habite dans un foyer de groupe durant la semaine.

La discussion ne va pas plus loin. De retour dans la cuisine, maman demande à son ami:

— On fume un peu avant de partir?

Elle et John vont s'asseoir au salon. Je les suis. Je joue par terre avec mon petit frère de cinq ans, Marc. Maman hausse le son du stéréo. La musique tonne. Maman allume une cigarette qui dégage une étrange odeur.

— Maman, c'est quelle sorte de cigarette, ça?

— C'est du hasch, Christian.

— C'est quoi ça, du hasch?

— De la drogue. Ça nous aide à faire des choses qu'on serait gênés de faire, autrement.

— Je peux essayer?

— Juste un peu.

John s'interpose:

— Lucie, t'es folle! Donnes-y pas ça. Tu vas le geler ben dur!

— Ben non, voyons. Juste une *poffe* ou deux.

Je prends la cigarette qu'elle me tend cérémonieusement. Je la porte à ma bouche. Comme l'a fait maman, je respire très fort la fumée. Je m'étouffe. Je reprends immédiatement une autre bouffée. Aussi forte. Je vacille, m'assois. Je me cramponne aux bras du divan. Le salon tourne sur lui-même. La musique ralentit...

Marc continue de jouer avec son camion. Maman s'en va en me rappelant de bien prendre soin de lui:

— Tu trouveras du spaghetti dans le frigo. Si tu veux autre chose, fouille et grignote ce que tu trouveras. Je ne reviendrai pas tard. Bye!

Quelqu'un me tire par le bras. C'est Marc. Je me suis endormi aussitôt maman partie. J'ai un peu mal à la tête.

— Christian, lève-toi. Il fait noir et on n'a pas soupé. J'ai faim.

Je m'occupe de lui: souper, télé, bain, coucher. Neuf heures déjà.

Les heures passent. J'attends maman. Vers deux heures de la nuit, je m'étends sur le divan.

Le son de la télévision me réveille. Marc écoute ses dessins animés. Il est presque onze heures du matin et maman n'est toujours pas rentrée. Je me souviens qu'elle m'avait dit d'appeler grand-mère en cas d'urgence.

— Grand-maman, je ne sais pas quoi faire. Maman est sortie vers quatre heures hier après-midi et elle n'est pas encore revenue.

— Ne bouge pas, j'arrive.

En moins d'une heure, elle est là. Elle laisse une note à maman. Nous partons chez elle. Surprise: il y a là plein de monde. Des oncles et des tantes, tous contents de me voir, dont mon parrain et ma marraine, Rolland et Monique, que je vois pour la première fois. Rolland me fait rire aux éclats avec ses blagues et ses mimiques. Maman fait irruption vers sept heures. Elle nous ordonne de mettre nos manteaux et de la suivre. Elle est en colère.

Maman et John boivent de la bière dans la cuisine. Ils nous demandent d'aller jouer dans la chambre. John s'en va. Maman continue de boire. Elle est soûle. Elle se met à me parler de mon père, de sa grossesse non désirée. Me demande pardon de m'avoir mis au monde. Blâme les services sociaux de m'avoir enlevé à elle.

— Mais, maman, si tu avais pris soin de nous, ça ne serait pas arrivé, tout ça...

— Veux-tu insinuer que c'est juste de ma faute? gronde-t-elle, en levant la tête.

— Non, maman. Mais tu buvais tout le temps et tu n'étais jamais là.

— Penses-tu que c'est facile d'avoir un enfant à dix-sept ans et de s'occuper d'un petit monstre comme toi? répond-elle, agressive.

— Fallait pas en faire des enfants dans ce cas-là, maman.

Elle se lève, outrée.

— Va donc chier. Tu viendras pas me dire ce qui est bon et ce qui n'est pas bon pour moi. Va-t'en! Sors de chez moi.

Je reste incrédule.

— T'es folle ou quoi?

En guise de réponse, elle ouvre la porte et lance mon *walkman* tout neuf dans le corridor. Je prends rapidement mes affaires. Je m'en retourne au foyer de groupe en braillant.

Lorsque je lui raconte ce qui s'est passé, l'éducatrice me dit que je n'ai qu'à m'en prendre à moi-même. Mon impolitesse a provoqué ma mère. Elle me sert le même terme que maman: je suis «un petit monstre».

Les week-ends suivants ne se déroulent pas mieux. Les disputes entre ma mère et moi s'enchaînent. Au bout de quelques mois, je ne retourne plus chez elle. Je revois tout de même grand-mère, mes oncles, mes tantes, et surtout mon parrain et ma marraine. Je demande à ces derniers d'aller chez eux les week-ends. Ils y réfléchiront.

J'espère.

Heureux anniversaire

Mon parrain et ma marraine acceptent de me prendre avec eux certains week-ends. Quand ils ne pourront me recevoir, je visiterai mes frères Patrick et Stéphane, placés eux aussi en centre d'accueil.

Mon oncle, ma tante et leur famille habitent à la frontière du Québec et de l'Ontario. C'est toute une expérience pour moi de parcourir cette distance en autobus. Pour ne pas être en retard, j'arrive toujours tôt au terminus. J'achète mon billet. Je monte dans l'autocar. Je me cale dans un siège. J'attends le départ avec impatience. On démarre enfin. Les deux heures et demie du trajet me paraissent interminables. Je rêvasse. Puis me voilà arrivé. Je cherche du regard les visages familiers. Ils sont là, me sourient, m'embrassent. Mon oncle dépose ma valise dans le coffre de l'auto. Ma tante me serre dans ses bras. Tous leurs enfants sont là. L'aîné s'appelle Marcel. Il a vingt-deux ans. Pascal, vingt ans, m'est très sympathique. Je le considère vite comme mon plus grand ami. Mireille a dix-huit ans et Christine quinze ans. Je suis comblé. Ces week-ends transforment ma vie. Même à l'école et au foyer de groupe, je fonctionne mieux. Je ne vis que pour ces retrouvailles.

Lorsqu'il me rend visite, mon travailleur social m'interroge parfois sur mon passé. Jamais je ne parle des abus que j'ai subis. J'en ai trop honte. Et je ne veux pas gâcher les belles choses qui m'arrivent maintenant. Un jour, Denis et moi allons nous promener dans un centre commercial. Une fontaine surmonte un bassin dans lequel nagent des poissons rouges. Je lance quelques sous dans l'eau.

— Tu sais quels vœux j'ai faits, Denis?

— Non, je ne sais pas, Christian.

— J'en ai deux. Le premier, c'est d'être heureux. Le deuxième, c'est d'aller demeurer pour toujours chez ma marraine.

— Tu aimerais vraiment ça?

— Oh oui!

— On pourrait lui en parler. Qu'en penses-tu?

— Ça me gêne un peu.

— Il n'y a pas de raison. J'ai l'impression que t'es vraiment aimé par ces gens-là.

— Je préfère que ce soit toi qui fasses la demande. S'ils me disaient non à moi, ça me ferait trop de peine. C'est mon souhait le plus cher, tu comprends. Ça me ferait trop mal si ça ne marchait pas.

Denis acquiesce. Je regarde les poissons barboter. L'eau du bassin me renvoie les images de mon rêve.

Denis m'amène jouer au billard. Il m'apprend un tas de trucs. Nous nous esclaffons de nos bons et de nos mauvais coups. Denis fait des blagues:

— Hé, madame, apportez-nous chacun un whisky!

Je ris de bon cœur. Lorsqu'il me reconduit au centre d'accueil, je remercie Denis pour le bon temps qu'il me donne. Ça me prend parfois deux à trois jours pour accepter d'être séparé de lui. Je dois me raisonner: il est seulement mon travailleur social.

Avec Denis je ne joue pas pour gagner, mais pour le plaisir d'être avec lui. Tandis qu'au foyer de groupe, lorsque je joue au ping-pong, au mississippi ou au hockey, je veux toujours être le meilleur. Il m'arrive de tricher un peu pour y parvenir, ce qui occasionne des chicanes avec les autres garçons. C'est aussi une façon d'attirer l'attention des éducateurs afin qu'ils s'occupent davantage de moi. J'aime être le centre d'attraction. Quand je suis contrarié, je m'enferme dans ma chambre. Les murs sont tapissés d'affiches représentant mes groupes rock favoris. Ma petite radiocassette joue constamment leur musique.

Quelques jours plus tard, Denis me donne des nouvelles de ma marraine:

— Elle ne dit pas non à ton idée d'aller vivre chez elle. Elle demande à réfléchir.

Je croise les doigts.

— Et tes frères, Patrick et Stéphane, tu les vois toujours?

— Oui. On fait du sport ensemble les week-ends où je reste en ville. Une seule chose me dérange: ils s'ennuient de madame Grégoire. Ils la voient encore comme leur mère. Je ne comprends pas. Moi, elle ne me manque pas!

— Pourquoi? interroge Denis.

— Parce que, après tout ce qui s'est passé là-bas, après toutes les promesses qu'elle n'a pas tenues, elle ne mérite aucun sentiment. Elle disait qu'elle nous protégerait d'oncle René, qu'elle nous garderait toute seule, et tout le baratin. Même quand on lui a dit que le bonhomme nous touchait, elle n'a rien fait. (Parce que je n'étais pas la seule victime de l'oncle René, comme mes frères me l'avaient appris.)

— Qu'est-ce que tu veux dire par là, Christian, «nous touchait»?

J'ai trop parlé. J'hésite.

— Il nous touchait là.

Je désigne mes parties génitales. Denis me regarde, hébété. Je me sens maintenant obligé d'en dire plus. Je suis mal à l'aise. Je lui en révèle le moins possible. Je me sens coupable. J'ai l'impression d'en dire trop. Je fais l'impossible pour changer de sujet. Denis n'est pas dupe.

À la fin de la rencontre, Denis me confirme que j'irai chez ma marraine pour le long week-end de mon anniversaire et de Pâques. Je saute de joie.

Le jour du départ, je me sens fébrile: je suis le garçon le plus heureux du monde. C'est la première fois que je vais fêter en famille. Au déjeuner, Céline, l'éducatrice du foyer de groupe, partage ma bonne humeur. Elle me demande si j'ai bien préparé ma valise.

— ... Et t'oublies pas ta brosse à dents?

— Non, j'ai pensé à tout.

Céline me prépare un petit *lunch* à avaler dans l'autobus. Elle me le tend en souriant. Je cours prendre le métro en direction du terminus.

Chez ma marraine, on m'accueille avec plein d'embrassades et on m'amène manger au restaurant où travaille ma cousine. Ma tante retourne au magasin où elle gagne sa vie et je rentre à la maison avec mon oncle, qui travaille chez lui comme dessinateur et peintre d'enseignes. Comme la famille vient tout juste de déménager, je découvre leur nouvelle demeure. C'est au bout d'une rue tranquille, en bordure d'une petite rivière. La maison est vaste, le terrain aussi. On me désigne ma chambre, au sous-sol. Mes cousins et cousines se pointent. En jasant, ils me dévoilent qu'une surprise m'attend au cours du souper. Ils semblent aussi excités que moi.

Le repas commence. À la télé, placée à côté de la table, une émission en anglais fait rigoler tout le monde. Je ne comprends pas un mot d'anglais, mais, pour faire comme les autres, je ris aussi. Mon manège est vite découvert: c'est de moi, cette fois, qu'on rit. J'entre dans le jeu de bon cœur.

Au milieu du repas, ma tante demande le silence:

— Christian, je ne sais pas comment dire, mais on a réfléchi à ce que ton travailleur social nous a demandé. On s'est réunis en famille, on a discuté et on a décidé qu'on était prêts à t'accueillir chez nous. Dès la semaine prochaine, le temps de préparer ta chambre et de faire ton changement d'école, tu pourras venir habiter ici.

Je ne sais comment réagir. Mon rêve se réalise. Je remercie tout le monde. Je pleure de joie. On m'entoure. Toute la famille a l'air aussi contente que moi.

Le lendemain, dès le lever du jour, on se bouscule pour me souhaiter bon anniversaire. Je rayonne. Au souper, la table est mise comme pour Noël. Au dessert, on me présente un gigantesque gâteau au chocolat couronné de douze chandelles. Au bout de la table, plusieurs boîtes joliment emballées excitent ma curiosité. J'ouvre mes cadeaux en tremblant d'émotion. Plein de beaux vêtements. Et un jeu d'échecs.

Un mois de rêve

De retour à Montréal, je claironne la nouvelle: je déménage chez mon oncle et ma tante! Je n'ai jamais été aussi content.

Je constate qu'au foyer de groupe on est déjà au courant de la décision. Ça me déçoit un peu que les éducateurs aient appris la nouvelle avant moi, sans me la révéler. À l'école, mon professeur m'invite au restaurant: il m'encourage à persévérer dans mes études, compte tenu des progrès accomplis cette année. J'ai débuté dans une classe spéciale et je termine, avec de bonnes notes en plus, dans une classe de sixième année régulière. Au foyer, on souligne mon départ avec mon mets favori: une pizza. Mes bagages sont prêts depuis plusieurs jours déjà.

Denis me conduit en automobile chez ma tante. Je lui confie:

— Tu sais, Denis, je ne peux pas te dire combien je suis heureux de me retrouver enfin dans une vraie famille où je me sens aimé.

— Tes frères, ils ont réagi comment à la nouvelle?

— Je leur ai dit que je viendrais les voir aussi souvent que possible. On ne perdra pas contact, c'est certain.

Quand la voiture s'arrête enfin devant la maison, mon cœur bat à tout rompre. J'en suis étourdi.

— Fais attention à toi: ne sois pas trop tannant! me dit Denis en me quittant.

Mon oncle réplique:

— Pas de danger. Si on a trop de misère avec lui, on n'aura qu'à l'enfermer dans la remise!

Nous éclatons tous de rire. Pascal m'aide à descendre mes boîtes au sous-sol et à ranger mes affaires dans ma chambre. Je colle au mur mes affiches de Michael Jackson, que mes cousines trouvent si beau. Ce sont elles qui m'ont appris à danser le *moonwalking* comme lui.

Je vais rejoindre mon cousin Pascal dans sa chambre. Je passe devant la chambre de Marcel. Son ordinateur et ses quatre jeux d'échecs m'impressionnent. Il m'offre de m'apprendre à jouer aux échecs. Super!

Pascal est en train de dessiner et de calculer.

— Alors, Christian, tout est o.k. pour toi? T'es bien installé?

— Oui.

— Ça te dirait de venir travailler avec moi, ce soir?

— Bien sûr.

— Je travaille dans un garage. Je fais les pleins d'essence. On rencontre plein de monde. C'est distrayant, tu vas voir.

— Je pourrai mettre l'essence dans les autos, moi aussi?

— Évidemment. Mais avant on va manger un peu. Tu viens?

— Oui, Pascal. C'était quoi tes dessins?

— Ce sont des plans. J'étudie en réfrigération. Je voudrais me lancer en affaires. Si ça t'intéresse, je te montrerai.

Au souper, ma tante me demande si j'ai hâte de fréquenter ma nouvelle école. Je lui confie que je me sens un peu craintif. Elle me rassure. Elle m'appelle son «Kiki» et ajoute:

— Ça ne te dérange pas que je t'appelle «Kiki»?

— Non, ça me fait drôle.

— Tu sais, on t'appelait comme ça quand tu étais bébé. On a un film de cette époque où on te voit tout petit. On te le montrera.

Mon cousin Pascal m'apprend toutes sortes de choses. Il m'emmène faire des tours de voiture, s'occupe de moi, me fait partager son intérêt pour la réparation de réfrigérateurs. Nous en démontons et les réparons. Je passe beaucoup de temps avec lui. Mon oncle aussi m'apprend les rudiments de son métier. Il me permet même de mettre ma touche à ses peintures sur des camions. Comme je suis fier de tracer tout seul quelques chiffres à l'arrière d'un camion «Budget»!

Toute la maisonnée s'amuse avec des jeux d'ordinateur. C'est à qui battrait les records précédents. J'apprends à mieux connaître Marcel, le studieux de la famille, en jouant avec lui aux échecs. Quant à mes cousines, elles forment un inséparable duo dans lequel il est difficile de s'immiscer. Je suis bien dans cette famille. On y est sévères mais justes. Jamais de punitions.

À l'école, c'est la langue anglaise qui me donne le plus de difficulté. Je suis nul. Pas le choix: en Ontario, l'anglais, c'est important. Heureusement, ma tante et ma cousine Mireille m'aident à faire mes devoirs. Puis, j'ai choisi de me placer en classe à côté d'un copain qui, lui, est assez bon. Alors...

Ça fait un mois que je suis là lorsque ma tante m'appelle à la cuisine:

— Assis-toi, Christian, il faut que je te parle.

Je vois son visage attristé. Je m'attends à ce qu'elle me parle du dernier téléphone de ma mère. Chaque fois qu'elles se parlent, celle-ci lui reproche de me garder. Comme si elle était jalouse de l'affection que je porte à ma tante et de mon bonheur.

Ma marraine se sert un café, m'en offre un.

— Tu sais, Christian, ce que j'ai à te dire n'est pas facile.

— Ma tante, tu peux tout me dire.

— Christian, ça ne marche plus: on ne pourra pas te garder.

Je reste figé.

— Tu sais, on a essayé, c'est pas facile...

Je ne lui laisse pas terminer sa phrase. Je me précipite dans la cave. Je pleure. Je ne peux pas croire ce qui arrive. Encore une fois, on me laisse tomber. Ma tante vient me rejoindre pour me consoler.

— Tu vas pouvoir revenir quand tu le veux, Kiki. Notre porte te sera toujours ouverte.

— Mais ça ne sera plus la même chose...

— T'en fais pas: on sera là si tu as besoin de notre aide.

Elle m'offre une cigarette. Je lui rappelle les heureux souvenirs de mon séjour chez elle. Je les garde encore en moi aujourd'hui.

Mon départ ne fut pas aisé. Denis dut venir me chercher deux jours après cette discussion. Je pleurais tout le temps. Incapable d'aller à l'école. Mes cousins et cousines, gênés, ne savaient plus que dire. Je refaisais cent fois le tour de la maison pour conserver en mémoire chacun de ses recoins.

Au moment de partir, ma tante me dit:

— Tu sais, Kiki, t'es un beau petit bonhomme. Tu vas t'en sortir un jour. Ça va aller mieux. Tes meilleures années s'en viennent.

— Ma tante, dis-moi franchement: c'est parce que j'ai été tannant que tu me mets dehors?

— Bien non, voyons donc. Où vas-tu chercher ça?

— ... C'est parce que j'ai pas fait des choses comme il faut?

— Non, Kiki, c'est à cause de problèmes familiaux, si tu veux savoir.

Ma tante verse quelques larmes. Je regarde une dernière fois cette maison où je fus heureux.

J'y retournai quelques week-ends, mais l'ambiance n'était plus la même. Je téléphonais, j'écrivais, mais sans enthousiasme. Sur toile de fond, des beaux souvenirs; en premier plan, un autre abandon, un autre échec.

La révélation

Je me retrouve à nouveau en foyer de groupe. Déçu, écœuré de mes déboires, je ne veux parler à personne. Je n'ai plus rien à dire. Et je me sens coupable de tout ce qui m'est arrivé.

L'été s'en vient. L'école se termine. Je fugue régulièrement du foyer. Je ne m'y sens pas bien. Je deviens colérique et me dispute avec tout le monde. On dit que je suis détestable. Denis m'envoie passer des tests psychologiques. Il me questionne de plus en plus sur mon enfance. Un jour, je lui avoue:

— Denis, j'aimerais ça tuer le bonhomme Grégoire. Je lui en veux à mort. Je regrette de l'avoir manqué quand j'ai essayé...

— Qu'est-ce que tu dis là, Christian? Qu'est-ce que t'as essayé?

— C'est sa femme qui a commencé à nous mettre ça dans la tête et à nous montrer comment faire...

— Faire quoi?

Denis est sidéré. Je lui raconte l'histoire.

— Une fois, Stéphane, Patrick et moi nous étions à table en train de parler avec madame

Grégoire. Son mari venait de monter se coucher. Il avait dû travailler de nuit. Nous disons à «maman» comment nous n'en pouvons plus de nous faire frapper constamment par lui. «Seulement la mort nous débarrasserait de ses coups», risque l'un d'entre nous. «Maman» écoute, nous regarde, sourit. Oui, le tuer. Mais comment? «Vous pourriez monter dans sa chambre pendant qu'il dort, lui mettre un sac en plastique sur la tête, puis l'assommer à coups de bâton de baseball...» Elle dit ça avec légèreté, comme si c'était la chose la plus ordinaire du monde. Mes frères et moi nous consultons du regard. L'un d'entre nous va chercher un sac de plastique, un autre le bâton de baseball. Nous montons tous les trois l'escalier sur la pointe des pieds. Nous avons la trouille. Arrivés en haut, personne n'ose bouger. Patrick saisit le sac, pousse la porte de la chambre. Nous le suivons, nous rapprochons du lit. Silence total. Nous nous regardons dans les yeux. Mon cœur cogne. Nous faisons signe à Patrick d'agir au plus vite. Il place le sac sur la tête du bonhomme. Juste à ce moment-là, oncle René change de position dans son sommeil, faisant tomber le sac à côté du lit. Je le ramasse et nous déguerpissons à toute vitesse...

— Et c'est tout?

— Non. Nous avons essayé à deux autres reprises. Une fois, nous avons mis un gros pétard — comme ceux qu'on utilise pour les feux d'artifice — dans le tuyau d'échappement de son camion.

— Et puis?

— Le chien l'a enlevé de là et l'a à moitié mangé. L'oncle René s'est longtemps demandé comment ce pétard était venu entre les dents du chien... Évidemment, personne n'a parlé, pas même «maman». Elle nous a conseillé finalement de mettre du vernis à ongles dans la cafetière d'oncle René pour l'empoisonner. Encore une fois, ça n'a pas marché. Je crois que c'est elle qui avait nettoyé la cafetière tout de suite après, sans nous le dire.

— Mais pourquoi tant de haine envers René, Christian?

— Denis, comment peux-tu dire ça! Il me battait constamment, me faisait travailler comme une bête, et même la nuit venait dans ma chambre pour me forcer à prendre son pénis!

J'éclate en sanglots. Denis me serre dans ses bras. Je le sens aussi désemparé que moi. Il me regarde droit dans les yeux:

— C'est arrivé plusieurs fois ce que tu viens de raconter?

— Oui, et aussi dans sa chambre à lui.

Denis réfléchit.

— Tu accepterais de raconter ton histoire à un policier, Christian?

— Pourquoi?

— Parce que René n'avait pas le droit de te faire ça. C'est de l'abus. Il faut le traîner devant un tribunal. Tu permets que je m'informe pour savoir ce qu'on peut faire?

— Oui, mais j'ai peur qu'il sache que j'ai parlé et qu'il se venge. Je n'avais pas le droit de révéler ça. Il va vouloir me tuer!

Je suis effrayé juste d'y penser.

— Veux-tu que je te dise quelque chose, Christian?

— Quoi?

— Je vais te protéger et les policiers aussi. Tu me fais confiance?

— Oui, mais monsieur Grégoire est bien plus gros et bien plus fort que toi.

— Non, Christian, un homme qui s'attaque à des enfants comme il l'a fait, ce n'est pas un homme fort, c'est un lâche.

La déclaration

Deux jours plus tard, Denis me demande de dénoncer les abus d'oncle René à la police. Malgré mes peurs et mes hésitations, j'accepte de rencontrer deux policiers avec lesquels Denis a souvent travaillé.

Nous avons rendez-vous au centre d'accueil La Clairière, où se trouvent mes deux frères. Dans la voiture, Denis me prépare à ce qui va suivre:

— T'es pas trop nerveux, Christian?

— Un peu. Qu'est-ce qu'il faut que je dise aux policiers?

— Il faut que tu dises la vérité et que tu sois le plus précis possible. En d'autres mots, que tu te rappelles presque les dates où cela s'est passé.

— Pourquoi?

— Parce qu'à la cour, plus tard, le juge voudra savoir les choses dans le détail. C'est la seule façon de juger quelque chose ou quelqu'un: il faut des faits précis.

— Je comprends.

Je retrouve mes frères. Ils sont aussi nerveux que moi. Stéphane me glisse à l'oreille qu'il a téléphoné à madame Grégoire. Elle a promis de témoigner en notre faveur:

— Elle, elle nous aime, tu sais, Christian. Elle va le dire en cour que son mari nous battait...

Je reste perplexe. Mais ça me fait chaud au cœur de savoir qu'elle pense encore à nous.

Les deux policiers se présentent. Ils interrogent Patrick en premier lieu. Ensuite c'est Stéphane. Puis vient mon tour.

J'entre dans le bureau. Je m'assois. Un policier m'informe qu'il prendra des notes pendant que son confrère va m'interroger.

— Il va falloir que tu sois le plus précis possible, dit ce dernier.

— Je sais.

Il prend mon nom, ma date de naissance, puis commence à poser des questions.

Je me sens tout petit. Mon cœur palpite à faire mal. Je voudrais tout dire d'un seul coup.

— Christian, t'es arrivé à quel âge chez les Grégoire?

— J'avais sept ans.

— Et qu'est-ce qui s'est passé là-bas?

— Bien, ça n'a pas été long que le bonhomme a commencé à nous donner des volées...

— Peux-tu me décrire ces volées?

— Oui. Il ôtait sa ceinture, me faisait baisser mes culottes, me prenait sur lui et me donnait des coups. C'est plus tard, vers l'âge de 9 ans, qu'il a commencé à...

Je me tais.

— Commencé à faire quoi, Christian? demande le policier.

Les larmes envahissent mes yeux. Je ne veux plus continuer. Les policiers semblent comprendre.

— Prends tout ton temps, Christian. On est là pour toi.

— Ça s'est passé au début de l'automne. Pour nous récompenser d'avoir bien travaillé cette journée-là, il nous a emmenés au restaurant. Quand on est revenus, il a attendu que mes frères soient endormis, puis il m'a ordonné de venir dans sa chambre, de m'étendre sur son lit à côté de lui. C'est là qu'il a commencé à faire des cochonneries avec mon pénis et le sien.

Je n'arrive pas à en dire plus.

— Ça s'est passé à d'autres reprises?

— Oui, après il venait parfois dans ma chambre pour refaire la même chose.

— Et sa femme, pendant ce temps-là, elle était où?

— Des soirs, elle organisait des démonstrations de bijoux et de produits de beauté chez des amies. Elle rentrait plus tard. Surtout quand c'était à Montréal.

— D'autres personnes étaient au courant de ce que tu racontes?

— Non... Euh, oui!

— Qui?

— Une fois, il m'a battu, tout nu, devant une vingtaine de personnes parce que j'avais joué au docteur avec la petite voisine, Marie-Pierre.

L'entretien se termine rapidement. Le policier m'invite à signer ma déclaration après avoir vérifié si ses notes sont conformes à mes propos.

En sortant du bureau, je me dirige en courant vers les toilettes. Je m'y enferme. Je sanglote. J'ai envie de vomir. Je réalise ce que je viens de faire. Je ne pourrai plus reculer désormais.

Denis, aussi silencieux que moi, me raccompagne au foyer de groupe. Je me suis couché très tôt. Je ne voulais parler à personne de ce qui venait de se passer. Avant de m'endormir, j'ai prié Dieu pour que l'oncle René soit puni du mal qu'il m'avait fait. Je me suis endormi en pleurant, et j'ai fait un cauchemar:

Je me retrouve petit garçon. Je suis chez les Grégoire, juste à côté du foyer, dont je sens la chaleur. Je m'endors. Un escalier se déroule devant moi. Je commence à monter, mais les marches se nivellent les unes les autres pour former un corridor. Il rapetisse à mesure que j'avance. Des portes apparaissent sur les côtés. Derrière l'une de ces portes, une voix me parvient:

— Viens ici, mon fils.

J'avance vers la porte. Avec prudence, je l'ouvre. C'est oncle René. Je lui dis:

— Oui, père, que voulez-vous?

— Je veux te violer, mon enfant.

— Non, je ne veux pas. Et si je vous disais non? Et si je résistais?

—Ta vie ne vaudrait pas cher.

Il me soumet à lui.

Je songe: Que va-t-il arriver quand mère va revenir?

Là-dessus, il s'endort. Je fuis. Je cherche ma chambre. À ce moment, mère arrive. Elle demande:

— Que fais-tu là?

— Mère, père m'a fait mal. Il m'a violé.

Elle tend les bras, me serre contre elle. Son étreinte se resserre, tel un étau. J'étouffe.

— Tu m'as enlevé mon mari: je vais te tuer.

Je me suis réveillé en sueur, affolé, le souffle court. Je me suis demandé ce que j'allais faire maintenant que tout le monde allait connaître mon histoire? Déjà que personne ne voulait de moi... Vraiment, je ne suis qu'un bâtard, un bon à rien, comme on me l'a si souvent répété. Je vais finir tout seul... Mais pourquoi, Bon Dieu? Pourquoi moi? Qu'est-ce que j'ai fait de mal pour mériter ça? Je n'ai pas été si méchant, il me semble... Pourquoi toujours me punir? Je frappe mon matelas avec mes poings. J'étouffe mes cris: «Non! Non! Non!»

Une nouvelle famille

Mon travailleur social m'a trouvé de nouveaux parents d'accueil. Leur nom de famille, Grégory, ressemble étrangement à celui d'oncle René. Ce nom-là, je frémis encore rien qu'à l'entendre. Quelle ressemblance pouvait bien avoir cette famille avec celle de René? «Aucune», me répond Denis avec assurance.

J'ai douze ans et demi. Je souhaite à tout prix faire ma place dans ce nouveau foyer. Être un bon fils. On nous présente les uns aux autres. Monsieur Grégory est dans la trentaine, sportif, entraîneur de hockey et de soccer, enseignant au secondaire. Madame est toute menue. Enseignante elle aussi, elle semble patiente et compréhensive. Ils ont deux petites filles, belles et affectueuses, qui ne demandent qu'à m'adopter comme grand frère. Leur maison se trouve à flanc de montagne, dans les Laurentides.

Au départ, ils voulaient un enfant plus jeune que moi. Ils ont accepté de me rencontrer quand même. Comme je parais beaucoup plus jeune que mon âge et que, timide, je ne parle pas beaucoup, je leur ai plu tout de suite. «C'est un très beau garçon», disent-ils à mon travailleur social.

Je me fais très vite une place parmi eux. Nous apprenons à nous connaître. Bonheur tranquille. Trois mois passent. Monsieur et madame sont devenus «papa» et «maman». Je me plais dans cette maison. J'ai une vaste chambre à moi tout seul. Je la remplis de souvenirs secrets.

Je suis admis dans une équipe de soccer. Papa vient m'encourager. «Regardez, c'est mon fils!» dit-il avec fierté, en me désignant aux parents des autres joueurs. J'en suis tout ému.

Je me considère comme le garçon le plus heureux. Papa passe beaucoup de temps avec moi. Nous faisons du sport ensemble. Nous nous parlons ouvertement de ce qui ne va pas, comme j'ai toujours rêvé de le faire avec un père.

Maman m'encourage dans mes études. Elle vient me reconduire à l'école le matin, et le soir, elle m'aide dans mes devoirs. Une fois mes travaux scolaires finis, je peux voir mes amis et faire les activités que je veux. J'ai l'impression d'avoir définitivement tourné le dos au passé. Ces parents-là semblent m'aimer si fort: comment ne pas m'attacher? Je veux rester toujours avec eux.

Seule ombre au tableau: papa se comporte parfois d'une façon inaccoutumée pour moi. Par exemple, en me taquinant, il me pince les fesses. Immanquablement, je sursaute. «C'est juste pour rire!» Il me traite de scrupuleux. Il ignore que j'ai été victime d'abus sexuels dans une précédente famille d'accueil. Chat échaudé craint l'eau froide. Pour lui faire plaisir, je me laisse faire et camoufle mon malaise.

Dix mois ont passé. Un jour, papa m'amène en promenade en voiture. Il arrête au dépanneur acheter quelques bières pour lui et moi. Nous parlons, nous rigolons. Il me questionne sur mes relations sexuelles avec mes petites amies. Je lui réponds que, malheureusement, ça n'a jamais été plus loin que des petits becs. Il me taquine. Il me pince la cuisse en riant. Je fais la même chose. Sa main monte sur mon pantalon. Il me demande de faire de même. Gêné, je sens son érection. Je ne comprends rien à ce qui se passe. Je ne sais pas si c'est bien ou mal. Je préfère ne pas le savoir.

À plusieurs reprises, le même scénario se répète: randonnée en voiture, bière, attouchements. Ça me rend mal à l'aise, mais je ne veux pas lui déplaire. Maman trouve que nous passons beaucoup de temps ensemble, papa et moi. Elle n'aime pas ça. De petites frictions pointent entre elle et moi, entre elle et lui.

Il y a plus d'un an que je suis là. Un bel été s'annonce. Je suis content de recommencer à jouer au soccer.

Le renvoi de chez les Grégory

Je reviens d'un match de soccer. J'ai marqué deux buts. Je suis fier mais épuisé. J'entre par la porte arrière de la maison. Je me dirige tout droit vers la salle de bains. Personne ne m'a vu entrer. Je m'apprête à prendre une douche. À travers la porte, j'entends papa et maman discuter de moi. Elle dit:

— Je ne veux plus le garder. Christian doit partir.

Il est d'accord. Dès que possible.

Mon cœur s'arrête de battre. Ma tête bourdonne. Je n'entends plus leur conversation. Je n'entends plus rien du tout. Je quitte la salle de bains sans faire de bruit. Je vais dans ma chambre. Assis sur mon lit, je prends ma tête dans mes mains. Mon monde s'écroule. Je suis anéanti. J'essaie de me convaincre que j'ai mal entendu, que ce n'est pas possible. Hébétude.

Monsieur Grégory m'appelle:

— Christian, j'ai quelque chose d'important à te dire. Tu sais que ma femme n'a plus la santé qu'elle avait quand...

Je sens qu'il ment. Je réponds:

— Laisse faire. Je sais le reste: vous allez me renvoyer.

Des larmes coulent sur mes joues. Monsieur Grégory me regarde. Il demeure impassible, sans émotion ni justification.

Dans ma tête, les questions se bousculent. Qu'est-ce que j'ai pu faire pour être chassé comme un étranger? N'ai-je pas tout tenté pour être aimé? Combien de fois me suis-je tu pour ne contrarier personne? J'ai obéi de mon mieux à la femme de monsieur Grégory. Je n'ai rien dit quand il m'a touché les fesses ou le pénis. J'ai voulu être le fils modèle. Leur fils. Que me reprochent-ils? Je ne le saurai jamais.

Je suis parti le lendemain matin. Sans avoir eu le temps de réaliser ce qui arrivait.

J'ai découvert plus tard, par hasard, qu'ils avaient pris un autre garçon peu après mon départ. Peut-être n'a-t-il pas été touché celui-là? Peut-être que l'épouse de monsieur ne s'en est pas aperçue, cette fois-là? Peut-être a-t-il appris à mieux cacher son jeu? Moi, j'ai appris à ne faire confiance à personne. Jamais. Surtout quand on prétend m'aimer.

Dérapages

J'ai quatorze ans. Je me sens démuni et révolté. Après ce qui m'est arrivé chez les Grégoire puis chez les Grégory, je ne veux jamais plus connaître de familles d'accueil. Je ne veux plus être le bon petit garçon dont on fait ce qu'on veut. J'ai assez payé. *Fuck off!* Je commence à devenir agressif, à écouter de la musique *heavy metal,* à me donner un style *rocker.*

Mon travailleur social me place en foyer de groupe à Saint-Mathias, chez Angèle. Je ne veux rien savoir des règlements de la maison ni des six autres garçons qui s'y trouvent. Je me fiche de tout. Je vis dans mon petit monde intérieur. Je n'en fais qu'à ma tête, rumine des idées de vengeance: tuer oncle René, violer sa femme, m'enfuir avec mes frères très loin. Sur une autre planète. Je ne vais guère à l'école. Je fréquente Julie, une fille d'un an plus vieille que moi. Nous faisons de longues randonnées à bicyclette. Dans les bras l'un de l'autre, nous nous donnons de l'affection. Nous parlons de tout et de rien. Elle ne sait rien de mon passé. Je n'en parle jamais. J'ai honte de moi. Je suis un enfant bâtard, sans famille. Qu'on puisse me rejeter une autre fois, je n'en supporte pas l'idée.

Le soir et les week-ends, je travaille chez un fermier des environs qui élève des chèvres. Je vide et nettoie les enclos de leur fumier. Pour un voisin opérant une cabane à sucre, je coupe du bois, chauffe le sirop. J'apprécie la vie de campagne. Les autres gars du foyer de groupe et moi passons nos temps libres dans les bois, là où personne ne peut nous espionner. Notre marginalité commune a fini par nous rapprocher.

Une fois, un des garçons apporte un tube de colle. Il en met dans un petit sac et respire dedans. J'essaie à mon tour. Ça m'étourdit: je recommence. Je perds le cap. J'aime l'effet. À l'école, je me procure du hasch. Puis c'est l'essence de tondeuse à gazon qui sert au même usage que la colle. Escalade.

Je m'aperçois que je dérape. Je veux réagir, régler mon mal de vivre intérieur. Les circonstances ne m'aident pas. Denis m'annonce que je vais témoigner contre le bonhomme Grégoire. Je n'ai pas envie de revoir cet homme. J'ai très peur. Mais je le cache. Je n'ai personne à qui en parler. Toutes les nuits, je fais des cauchemars. Je crie dans le néant. C'est l'abuseur que l'on veut confronter par mon témoignage; en attendant, c'est à moi que ça fait mal.

Le jour de la comparution arrive enfin. Mon travailleur social nous accompagne, mes frères et moi. Je suis content de les revoir. Très nerveux, nous n'arrêtons pas de faire des conneries au restaurant où Denis nous a amenés. Au palais de justice, nous rencontrons le procureur. Il nous relit nos dépositions afin de les vérifier. Pour dissimuler mon angoisse, j'affecte de prendre ça en riant.

En sortant du bureau du procureur, je me retrouve face à face avec oncle René, qui monte les escaliers dans notre direction. Je le fixe droit dans les yeux. Son regard me lance des éclairs, transperce mon corps. Comme s'il me disait: «Tu ne diras rien, Christian, sinon je te tue.» Percevant ma défaillance, Denis pose sa main sur mon épaule: «Ça va bien aller, Christian...» Mon cœur bat à tout rompre. Mon enfance chez les Grégoire défile dans ma tête. J'éclate en sanglots. Je me demande pourquoi tout le monde me regarde. Est-ce écrit sur mon front qu'on a abusé de moi? Paranoïa.

Le procureur revient nous trouver. Il nous informe qu'il va maintenant nous interroger dans le tribunal, mes frères et moi séparément, les uns à la suite des autres. Je proteste. Non, je ne veux pas passer le premier alors que mes frères et Denis attendent dans le couloir. Non, je ne veux pas me retrouver tout seul au tribunal. Denis intervient. Il va pouvoir m'accompagner.

Finalement, Patrick témoigne en premier lieu. En se retrouvant devant le bonhomme Grégoire, il a plein de trous de mémoire. Son témoignage sera très bref. Puis vient le tour de Stéphane. Dégoûté par les questions qu'on lui pose, il envoie promener les avocats.

C'est à mon tour. J'entre dans la salle. Elle me semble immense. Je ne vois plus qu'oncle

René, qui me foudroie du regard. J'ai peur. Je tremble. Je fixe le plafond. Le juge me demande de dire la vérité, toute la vérité, rien que la vérité. Je le jure sur la Bible. Dans le fond, je me fiche bien de la Bible et des «Votre Honneur»: je veux qu'on reconnaisse la vérité, qu'on châtie le coupable. On me dit de m'asseoir. L'avocat m'invite à résumer ma déclaration faite aux policiers. J'avale ma salive de travers.

— Oui, il me battait à coups de ceinture tous les jours. Une fois c'était devant plein de monde parce que j'avais joué au docteur avec une petite fille. Le soir, il me forçait à faire des choses...

Là, j'arrête de parler. J'explose à l'intérieur de moi. Des larmes roulent sur mon visage. Je voudrais être ailleurs. Je voudrais savoir parler, dire les choses de manière à faire comprendre ma souffrance. Comme aujourd'hui lorsque, me remémorant cet instant, j'écris:

Pouvez-vous penser qu'un homme
Peut entrer sans faire de bruit
Pour venir voir si je suis bien endormi,
Pour me forcer à découvrir son corps?
Je prie pour que le temps s'arrête
Pour que mon corps se délivre.
Oppressé, en cet instant
J'oublie tout sentiment.
Où est allé tout ce monde
Qui savait, qui voyait tout cela?
J'aurais pu être leur enfant...
On m'a tout pris.
Il fallait que je le dise.
Mais il fait trop noir pour que l'on m'entende.

Quelques instants de silence. J'ouvre les yeux. Je reprends mon témoignage:

— Oui, il a abusé de moi, il m'a violé. Un soir, il m'a demandé de le rejoindre dans sa chambre, de me coucher à côté de lui. Il m'a pris les parties génitales, m'a fait des choses en m'obligeant à lui rendre la pareille. Après, il venait dans ma chambre quand tout le monde dormait et ça recommençait...

Je reprends mon souffle. Un avocat me demande:

— Combien de fois il t'a demandé de faire ces choses-là?

— Au moins cinq ou six fois.

— C'était quand la première fois?

— J'avais neuf ans, c'était à l'été.

Il me demande d'expliquer les choses plus en détail. À la fin, je suis émotivement épuisé. La comparution est reportée à une autre date.

Denis me reconduit au foyer de groupe, chez Angèle. Je pleure durant tout le trajet.

— Christian, je t'aime bien, tu sais.

— Moi aussi, Denis. T'es comme un père.

— Ça va aller mieux maintenant?

— Denis, je n'ai plus le goût de rester ici, à Saint-Mathias. J'ai envie de me rapprocher de mes frères.

— Je comprends, Christian, mais pour le moment, personne d'autre ne peut te garder.

— Pas même toi?

Il soupire. Je fais une crise. Je ne veux pas me retrouver seul. Je veux partager mon chagrin avec mes frères. Je veux les protéger contre le bonhomme Grégoire.

Denis m'aide à expliquer à Angèle que je ne veux plus demeurer chez elle. Ce n'est pas sa faute à elle: je veux rejoindre mes frères à Montréal. Je resterai néanmoins le temps que Denis me trouve une nouvelle ressource en ville.

Quelques jours plus tard, je dégote une grosse corde dans la remise. Je m'en vais au bout du rang. Je monte dans un arbre. J'accroche la corde à une haute branche. Je fais un nœud coulant. Comme je suis en train de me passer la corde autour du cou, je tombe en bas de l'arbre. Trois côtes fracturées. Ça fait très mal. Je raconte un mensonge à Angèle. Un bête accident: je suis tombé d'un arbre en jouant. J'ai honte d'avoir raté mon coup. Je ne veux plus vivre. Pourtant, j'ai tellement besoin qu'on me rassure, qu'on me dise qu'on m'aime, qu'on s'intéresse à moi...

Trois jours après, je prends une lame de rasoir et je me taillade les bras. Je verse de l'alcool sur mes plaies. Je hurle de douleur et de rage. Le sang arrête de couler. Je porte des chemises à manches longues pour cacher mes cicatrices. Un matin, l'infirmière de l'école se rend compte que quelque chose ne va pas: j'ai avalé d'un coup toutes les pilules prescrites pour mes douleurs aux côtes. L'ambulance vient me chercher. À l'hôpital, je subis un lavage d'estomac. Angèle vient me voir. Elle téléphone à Denis pour lui dire qu'elle ne veut définitivement plus me garder. Ça ne peut plus durer comme ça.

Un coup de téléphone qui change tout

Je me retrouve enfin à Montréal, dans un autre foyer de groupe. Je vais bientôt avoir quinze ans. L'école ne m'intéresse plus. Je veux travailler. On m'envoie dans un organisme qui aide les jeunes à se trouver de l'emploi. Ça marche. On m'engage dans une boutique qui fabrique des trophées et des plaques-souvenir. Je prends goût à ce travail. Surtout, je gagne de l'argent.

Un soir, alors que je regarde la télé, le téléphone sonne. Je m'apprête à répondre quand un autre pensionnaire du foyer m'en empêche: «Non, laisse tomber: c'est un jeu avec une copine. Faut pas répondre!» Bon. Je vais me rasseoir. La sonnerie continue de retentir. Après quelques minutes, je me lasse. Et puis — qui sait? — il s'agit peut-être d'un appel urgent. Je prends l'appareil.

— Allô!

Une voix féminine me répond:

— Allô. C'est toi, Sylvain?

— Non, c'est pas Sylvain, c'est Christian.

— Ah bon. Pourquoi t'as répondu? Sylvain ne t'a pas dit que c'était notre jeu de ne pas répondre?

— Oui, il me l'a dit, mais ça va faire, là. Je ne le comprends pas votre jeu. Mais je sais que ça dérange. C'est pas très intelligent de faire sonner le téléphone pour rien ici. Sylvain n'est pas tout seul à recevoir des appels.

Elle s'excuse, me demande de lui répéter mon nom. Nous parlons ensemble. Elle souhaite me rencontrer. Je fixe un rendez-vous avec elle, en soirée, dans une station de métro.

Au lieu convenu, trois charmantes filles de mon âge m'attendent. Elles se présentent: Jade, Marie et Jacynthe. Deux sœurs et leur amie. Elles m'invitent à la maison. Nous parlons de tout et de rien en sirotant une boisson gazeuse au salon.

La mère rentre de son travail. Jade me demande de ne pas lui révéler que je séjourne dans un foyer de groupe, mais de prétendre plutôt que nous fréquentons, ses filles et moi, la même école. Mais, en m'apercevant, la dame semble soupçonner des choses. Elle lance à Marie:

— C'est quand même pas une crèche ici pour prendre tous les enfants sans famille....

Je suis rouge de confusion. Je veux m'en aller. Jade me retient gentiment. Sa mère vient s'asseoir avec nous. Elle s'adresse à moi:

— Tu viens d'où?

— De chez nous. Pourquoi?

— Tu t'appelles comment?

— Christian.

— À quelle école vas-tu?

— À la polyvalente Georges-Vanier. C'est là que j'ai connu Jade.

— Tu habites où?

— Sur la rue Lafleur...

Je comprends aussitôt ma gaffe. Elle saisit immédiatement que je réside au même foyer de groupe que Sylvain. Je ne sais que dire. Sur un ton de blague, je lance:

— Mais c'est pire qu'un interrogatoire de police, ici...

Elle sourit pendant que les filles pouffent de rire. Nicole s'excuse de sa curiosité et de son indélicatesse de tantôt:

— Tu sais, je n'ai rien contre les enfants placés, mais je sais que dans ce foyer-là, il y en a qui font des mauvais coups. Je ne veux pas qu'ils entraînent mes filles, tu comprends?

— Très bien. Je pensais que vous en vouliez aux garçons sans famille.

— Pas du tout. Tes parents sont décédés?

— Non. Ils m'ont placé à l'âge de trois ans parce qu'ils étaient trop jeunes pour me garder.

— En réalité, tu fais quoi dans la vie?

— Je travaille dans une manufacture de trophées.

Je passe la soirée avec les deux sœurs et leur mère, Nicole. Elle m'invite à venir souper avec elles le lendemain. Manifestement, j'ai fait bonne impression. Jade vient me reconduire à la station de métro. À ma demande, elle se fait photographier avec moi dans une cabine à photos. Sourires complices. Pour la dernière photo, elle s'assoit sur moi, m'embrasse.

Juste avant que j'entre dans le wagon du métro, elle me crie:

— Téléphone-moi en arrivant!

— Oui, oui.

Je suis dans tous mes états. Elle me plaît. Je lui plais. J'ai le bonheur accroché au visage.

J'appris vite à mieux connaître cette famille. Nicole s'était séparée d'un mari qui la battait. Elle élevait seule ses deux filles. Je m'entends merveilleusement bien avec elles, surtout avec Jade. Je suis devenu un habitué de la maison, me retrouvant chez elles presque tous les jours. On écoute de la musique, on joue à des jeux de société, on danse en faisant la vaisselle. Quand je me retrouve seul avec elle, Jade m'embrasse longuement. Septième ciel. Enfin, on s'intéresse à moi! Enfin, je me sens aimé!

Deux semaines après notre première rencontre, Jade et moi faisons déjà des projets d'avenir. Nous sommes très amoureux. Nicole confie qu'elle me considère comme le fils qu'elle aurait tant voulu avoir. Je suis comblé. Mes week-ends se passent désormais avec elles. Nicole me gâte beaucoup: une bicyclette, des souliers de course, des vêtements. Pour mon anniversaire, j'ai droit à une sortie dans un restaurant très chic. Le lendemain, c'est la fête de Jade. Ce soir-là, nous faisons l'amour pour la première fois.

Jade m'apprend à faire l'amour. C'est comme un jeu. Tous les jeudis, je lui achète un petit cadeau avant de la rejoindre chez elle. Ce jour-là, sa sœur garde les enfants d'une voisine et sa mère travaille jusqu'à neuf heures. C'est notre soirée d'amoureux. Nous prenons notre douche ensemble avant de nous retrouver au lit.

Finalement, Nicole me demande si j'aimerais habiter chez elle. Bien sûr que j'aimerais ça! J'en parle à Denis, mon travailleur social. Sa réaction me déçoit. Il trouve prématuré, sinon absurde, que cette femme veuille me prendre chez elle, alors qu'elle me connaît depuis trois mois à peine et qu'elle assume déjà seule la responsabilité de deux adolescentes.

— Mais, Denis, c'est mon rêve depuis toujours de trouver une famille qui m'aime! Et en plus, j'y ai découvert la fille de mes rêves! Tu ne peux pas me refuser ça!

— Je vais y penser, Christian. C'est une décision délicate. Mon idée première serait que Nicole soit évaluée comme toutes les autres familles d'accueil. L'évaluation tranchera. O.k.?

Une réponse inattendue

Pendant les jours qui suivent, j'attends la réponse positive des services sociaux. Chez Nicole, je prépare déjà mon arrivée. Je commence à décorer ma chambre. Je m'inquiète quand même un tout petit peu:

— Nicole, penses-tu que notre projet va se réaliser?

— Je ne vois pas pourquoi ça ne marcherait pas. J'ai déjà deux enfants, un bon emploi, et tout ce qu'il faut pour t'accueillir convenablement. Le seul problème possible, ce serait ta relation avec Jade: qu'est-ce qui va arriver si jamais vous ne vous aimez plus?

— Non, non, ça n'arrivera pas. Jade, je ne la laisserai jamais... Le plus important pour moi, c'est d'être dans une famille unie. Tu sais, si jamais ça ne va pas entre Jade et moi, je serai quand même content d'être son frère.

Je suis presque toujours chez Nicole. Comme l'été s'en vient, nous élaborons plein de projets de sorties, de voyages même. Ce sera la première fois que je voyagerai. Décidément, cette famille, c'est le paradis pour moi. L'amour de Jade, l'affection de sa mère, la sécurité émotive. C'est presque trop beau pour être vrai.

Jade et moi avons remarqué que Nicole me gâte davantage que ses propres filles. Quand je lui demande quelque chose, elle dit rarement non. Aussi, Jade et Marie passent maintenant par mon intermédiaire pour obtenir des faveurs de leur mère. Dans ce rôle, je fais plaisir à tout le monde: j'interviens auprès de leur mère pour rendre les choses plus faciles pour Jade et Marie, en même temps, j'aide Nicole dans son rôle maternel. D'une certaine façon, je suis à la fois le *chum*, le fils et le père dans cette famille-là.

Justement, les éducateurs du foyer de groupe considèrent que je prends trop de place dans cette famille et préféreraient m'en éloigner. Moi, je me fiche pas mal d'eux. De toute façon, je vais bientôt les quitter, non?

Certains soirs, avant de me coucher, j'ai le goût d'un petit joint. Je le fume en cachette, dehors, avec un autre pensionnaire du foyer.

J'ai rendez-vous avec Denis pour connaître la réponse tant attendue. Tout souriant j'arrive à son bureau. Nous nous installons dans une salle d'entrevue. Je sens un certain malaise chez lui. Je vais directement au but:

— À quel moment je peux déménager?

Denis me regarde, sérieux:

— Christian, l'évaluation est formelle. Tu ne pourras jamais aller demeurer chez Nicole.

Je n'en crois pas mes oreilles. Je pleure de colère. Je sors de la salle en courant. Denis me rattrape, me ramène dans son bureau. Je ne veux rien entendre.

— C'est bien vous autres, les travailleurs sociaux. Vous voulez qu'on soit heureux, mais vous ne voulez pas nous placer où on est bien. C'est quand même pas un monstre, cette femme-là! Et dire que vous m'avez laissé pourrir des années chez le bonhomme Grégoire!

Denis essaie de me calmer. Il commence à m'expliquer les raisons du refus: Jade et Marie ont des problèmes à l'école, Nicole n'arrive pas à les encadrer suffisamment, elles sont toutes deux déjà suivies par des travailleurs sociaux.

Je ne veux pas en entendre davantage. J'en ai assez. Je m'en vais chez Nicole. J'attends son retour du travail. J'envisage une solution: si les services sociaux ne veulent pas que j'habite là, rien ne nous empêche de partir ailleurs, pour vivre ensemble comme prévu. Nicole arrive enfin. Je lui transmets la réponse des services sociaux. Nous pleurons ensemble. Elle déblatère avec moi sur les services sociaux.

— Christian, nous pourrons toujours nous voir de toute façon. Puis quand tu auras dix-huit ans tu pourras faire ce que tu voudras.

Nicole va chercher de quoi manger chez MacDonald's. En apprenant la fameuse nouvelle, Jade et Marie sont très déçues. Marie était déjà si fière de me présenter comme son frère! Nous ne savons plus que dire.

Je retourne au foyer de groupe. Dans ma tête, repassent les paroles de Nicole: «Ça ne changera rien: tu reviendras quand tu veux.» Non: mon rêve s'est écroulé. Je vais m'acheter une bonne quantité de hasch et je reviens à ma chambre. Idées noires. Comment vivre heureux dans ces conditions? Je songe à me suicider. Pourtant, je ne veux pas vraiment mourir: juste montrer aux services sociaux que je peux réagir à leur injustice, que je suis plus fort qu'eux.

Je verrouille ma porte. Avec une lame de rasoir j'écris FUCK THE WORLD sur chacun de mes bras. Puis je trace des croix sur ma poitrine. Le sang coule. La douleur excite mon désarroi. Je me coupe partout sur les bras, des épaules aux poignets. Je crie. Les éducateurs essaient de forcer ma porte. En vain. Je me laisse tomber sur mon lit. Finalement, les éducateurs enfoncent la porte. Je hurle:

— Je ne veux rien savoir de vous autres, crissez votre camp! Laissez-moi en paix!

Une ambulance m'amène à l'hôpital. On désinfecte et recoud mes blessures. Une infirmière me surveille en permanence. Je passe la nuit à l'hôpital. Je m'en veux de m'être manqué. Encore une fois, j'ai raté mon suicide: je suis vraiment un incapable! Le lendemain matin, on veut me faire rencontrer un psychologue. Je ne veux rien savoir de lui. Il me laisse rentrer au foyer. Les éducateurs ne veulent pas que je sorte, pas même pour aller au travail. J'insiste, mais au lieu d'aller travailler, je rejoins Jade. En voyant mon état, elle s'affole, m'amène chez elle. Elle me déshabille, commence à me caresser. Soudainement, elle s'arrête et m'annonce qu'elle est enceinte. Je panique:

— Jade, en as-tu parlé à ta mère?

— Non.

— Tu ne vas pas garder le bébé, hein?

— Si, je veux le garder. Je veux un souvenir de toi.

— Mais, Jade, je ne suis pas prêt, moi!

Elle semble ne pas m'entendre. Je la trouve absurde. Je lui dis que je veux prendre mes distances vis-à-vis d'elle. Elle se met à geindre. Je vais téléphoner à Denis dans une cabine téléphonique. Je demande à le voir. C'est urgent. À son bureau, je lui raconte tout. Il contacte le travailleur social de Jade. Nous organisons une rencontre avec elle et moi, sa mère, et nos travailleurs sociaux.

Entre-temps, je laisse tomber mon emploi: trop de problèmes m'occupent l'esprit. À l'entrevue, tout le monde se regarde avec de gros yeux. Nous parvenons à une décision commune: Jade se fera avorter et je l'aiderai dans cette démarche. Jade demande à me parler seul à seul. Elle me supplie de ne pas la quitter. J'acquiesce. Nicole est très fâchée contre moi. Pour le suicide manqué, pour la grossesse.

L'avortement se déroule très bien. Jade n'en souffre aucunement. Je la raccompagne chez elle. Je lui déclare que c'est terminé entre nous, que je ne reviendrai pas sur ma décision. J'ai vécu trop de choses difficiles ces derniers temps. Elle me demande de faire une dernière chose pour elle. Malgré les recommandations du docteur, nous faisons l'amour. Puis, je la quitte précipitamment.

Les jours suivants, je vais au Paladium. J'essaie de me distraire le plus possible. À mon insu, Jade m'espionne, me suit. Elle demande à une de ses amies, Sylvie, de me séduire afin de garder un certain contrôle sur moi. Je passe la soirée avec cette fille. Pour découvrir finalement le pot aux roses.

Que j'aie abandonné mon emploi déplaît aux éducateurs. On m'en veut pour toutes mes folies. Denis tente de me parler. Sans résultat. Je me referme de plus en plus sur moi-même. Je consomme plus de drogue que jamais. Denis fait une demande pour me transférer dans un autre foyer de groupe. Je suis d'accord. Mais, arrivé là-bas, j'envoie promener les gens et les règlements. Denis est en colère contre moi.

— Christian, il va falloir que tu te décides. Il faut que tu fasses quelque chose de toi.

— Je veux aller habiter chez ma mère, que je lui réponds. Je l'ai revue deux ou trois fois ces derniers temps. Je pense que ça pourrait marcher cette fois-ci.

Je veux maintenant me débrouiller seul. Je suis excédé d'être placé et déplacé à gauche et à droite. Je me dis qu'en dépit de nos problèmes passés, je serai bien avec ma mère.

— Fais à ta tête, répond Denis, mais débrouille-toi pour que ça marche!

Je téléphone à ma mère. Elle refuse, faute d'argent, de me garder. Je lui offre toutes mes économies, 177 $, pour qu'elle accepte. L'affaire est conclue. J'annonce triomphalement à Denis et aux éducateurs que je retourne chez ma mère.

Pourrai-je me débrouiller seul?

J'ai seize ans. Je suis chez ma mère depuis à peine vingt-quatre heures lorsque la dispute éclate.

Je veux déjeuner. J'ouvre le réfrigérateur: il est vide.

— Maman, où est la bouffe que tu devais acheter hier?

Elle sort de sa chambre, tout ébouriffée.

— Pose pas trop de questions ce matin, Christian. Laisse-moi me réveiller en paix.

— Mais, maman, tu étais d'accord pour acheter de la nourriture avec l'argent que je t'ai donné. Qu'est-ce que tu as fait avec tout ça?

Elle commence à m'injurier, à me traiter d'ingrat:

— C'est pas moi qui t'ai demandé de venir ici, c'est toi qui m'as suppliée de te sortir du foyer de groupe. Si t'es pas encore content, sacre donc ton camp!

Sous le coup de la colère, j'empoigne mon sac à dos et dévale la rue sur ma bicyclette. Que faire maintenant? Je m'arrête pour téléphoner à Sylvie, la fille rencontrée au Paladium. Je l'invite à me rejoindre là en après-midi, sans toutefois lui révéler mon désarroi.

Sylvie et moi nous baladons à bicyclette. En fin d'après-midi, elle m'invite à l'appartement de son père. Ce dernier est parti en camping pour le week-end. Sylvie a les clés du logis. Nous passons la nuit à cet endroit et faisons l'amour. Je ne suis pas amoureux de cette fille, mais ça me fait quelqu'un vers qui me tourner.

Le lendemain matin nous entendons du bruit à la porte. La sœur de Sylvie se précipite sur nous en criant: «Sylvie, qu'est-ce que tu fais là avec lui? Dépêche-toi de déguerpir: papa arrive!» En moins de temps qu'il en faut pour le dire, j'enfile mon pantalon et mon chandail. Je sors par la fenêtre de la chambre. J'avertis Sylvie que je l'appellerai plus tard chez sa mère. Je passe l'après-midi seul. Je fais le tour des commerçants du centre commercial voisin, à la recherche d'un emploi. Miracle: une boutique de vannerie m'engage, à temps partiel, pour décharger les arrivages de nouveau stock. Je commencerai le lendemain. Je téléphone à Sylvie et nous prenons rendez-vous le lendemain soir au Paladium pour faire du patin à roulettes.

Je n'ai pas d'autre choix que d'errer sur ma bicyclette à travers les rues de la ville. Je songe à l'avenir qui m'attend. Désormais, il faudra que je me débrouille vraiment seul. Je passe la soirée à me promener autour du Stade olympique, me demandant où aller dormir. Je pense à Nicole, mais je n'ose pas lui téléphoner. Pas question non plus de retourner chez ma mère. Pas après la crise qu'elle m'a faite. Je songe aussi à ma grand-mère, mais je ne veux pas la mêler à mes problèmes. Et j'ai trop d'orgueil pour m'adresser à mon ex-foyer de groupe.

Je dors sur un des carrés de béton qui bordent le Stade. Je me dis que ça ira mieux demain. L'aurore me réveille. Je me rends à mon nouvel emploi, en avance sur l'horaire. Je travaille tout l'avant-midi à décharger des boîtes et à déballer les meubles en rotin qui s'y trouvent. La patronne me dit de revenir dans deux jours et me paye vingt-cinq dollars. Je mange pour la première fois depuis deux jours. Je m'oblige à conserver un peu d'argent pour ma sortie de soirée.

Au Paladium, je fais semblant de m'amuser avec Sylvie, mais ma situation m'inquiète. J'aperçois Yoyo. C'est un habitué des lieux: la quarantaine, le front dégarni, les cheveux longs, la veste de cuir. Un vrai rocker et un ami aux yeux de tous les jeunes. Je profite d'un moment où Sylvie n'est pas là pour lui expliquer ma situation. Il m'invite à dormir chez lui.

Yoyo habite le quartier Saint-Henri. Durant le trajet en métro, il me dit qu'il partage son appartement avec un revendeur de drogues. Un homme averti en vaut deux: une femme est en train de se piquer quand nous entrons dans la cuisine, un autre individu, endormi ou inconscient, gît par terre. Yoyo ne semble pas les voir. Nous passons directement dans sa chambre. Il me montre les antiquités et les bijoux qu'il collectionne. Il m'offre une chaîne en argent et une veste sans manches en cuir, juste à ma taille. Je suis tout impressionné. Avant de nous coucher, nous grignotons ce qui reste dans le réfrigérateur. Nous partageons le même lit, puisqu'il n'y en a pas d'autre. Je me fais tout petit. Je commence à peine à sommeiller quand je sens sa main sur mes fesses. Je me déplace vers le rebord du lit. Son corps suit mon mouvement. Je me lève et je vais dormir par terre. Le silence est lourd. Je me sens trahi. Je ne peux pas m'empêcher de penser: «Ils sont bien tous pareils les hommes. Ils veulent t'aider pour abuser de toi.»

Je dors très mal, avec la peur que Yoyo recommence à vouloir me toucher. Je pars très tôt, sans lui adresser la parole.

Je rappelle ma mère: je veux revenir à la maison. Sa colère étant passée, elle accepte de me reprendre. J'invite Sylvie à me rejoindre. Maman, dans ses bonnes grâces, prépare un excellent souper pour mes petits frères, Sylvie et moi. Elle nous offre ensuite un joint. Puis elle sort sans dire où elle va. Je couche mes deux demi-frères, Marc, neuf ans, et Patrice, qui est encore un bébé.

Maman revient. Elle nous prête son lit. Elle dort sur le divan. Sylvie et moi faisons l'amour toute la nuit. Au matin, Sylvie s'en va et je retourne au travail. Maman me laisse de l'argent et du hasch pour que je garde les enfants en soirée.

Je m'endors sur le divan. Je me réveille durant la nuit, m'aperçois que maman est rentrée avec un homme. Je l'entends injurier ce dernier. Hors d'elle-même, elle sort nue de la chambre, s'avance en titubant vers moi:

— Christian, sors-moi ce tabarnak d'impuissant qui n'est même pas capable de bander!

Je prends mon couteau à cran d'arrêt avec moi. L'homme est avachi par l'alcool et la drogue. Je lui demande de s'en aller. Il ne résiste guère. Maman se rhabille. Elle m'offre une bière, un joint, une ligne de coke. Elle s'excuse pour le mal qu'elle m'a fait en m'abandonnant tout petit, affirmant qu'elle n'avait pas le choix. Pour éviter une autre dispute, je lui donne raison.

Le lendemain, je rejoins Sylvie chez sa mère. L'ami de cette dernière nous prête son appartement. Je fais la connaissance de la cousine de Sylvie, Natacha. Elle vient de voler les bijoux de ses parents et cherche à les revendre. Je l'accompagne chez un receleur. Elle me donne la moitié de l'argent reçu, cent cinquante dollars. J'arrête alors de travailler. Je reste à l'appartement, à boire et à prendre de la drogue. Le hasch ne nous coûte pas cher, Sylvie ayant une bonne amie revendeuse. Bientôt, les remords me prennent à la gorge. Je réalise combien je suis loin d'atteindre le but que je m'étais fixé: me démerder seul. Je m'aperçois que mon genre de vie est sans issue. Je contacte Denis. J'ai honte de dire la vérité par peur qu'il ne veuille plus m'aider: j'invente une histoire. Je raconte avoir fait de la prostitution et du commerce de drogues pour Yoyo. Denis se décide: il m'enverra au centre d'accueil Cartier, où mon frère Stéphane se trouve déjà. J'accepte. Je préfère encore ça que de me retrouver à la rue.

Mon admission ne pouvant se faire avant quelques jours, je retourne à l'appartement avec

Sylvie. Le soir même, soûl et drogué, j'ai une violente dispute avec elle. Je sors en furie. Puis, m'apercevant que j'ai oublié mon *walkman* et ma chaîne en argent, je reviens sur mes pas. Sylvie refuse de m'ouvrir. Je sonne à un autre appartement pour qu'on m'ouvre la porte d'entrée de l'immeuble. Je monte les escaliers deux à deux jusqu'au palier. Je gueule tant que les voisins interviennent. Sylvie cède mais menace de jeter mes affaires à la rue pour se venger. Je panique. Je saisis une berceuse. Je la lance dans la grande fenêtre du salon, qui se fracasse en mille morceaux. Ahurie, Sylvie essaie de me calmer, mais je ne veux plus rien savoir d'elle.

Sylvie me suit jusqu'à l'entrée de l'édifice. Je ne veux pas qu'elle me talonne. J'ouvre la première porte vitrée et, aveugle de rage, passe à travers la seconde. Il y a des éclats de verre partout sur mon corps et par terre. Je trébuche. Je saigne abondamment. Je perds conscience. Sylvie tente de me ramener. Ma colère m'a plongé dans un état second, qui m'empêche de sentir mes blessures. Les tendons d'un de mes genoux sont complètement sectionnés. J'essaie quand même de me relever, de m'enfuir. Je me frappe sur la porte d'une auto en mouvement. Je me remets à peine du choc qu'une seconde voiture, venant en sens inverse, me heurte. Je rebondis devant un troisième véhicule qui me cogne de plein fouet. Je me retrouve des mètres plus loin, gisant sur le gazon. Je cherche à me relever, mais je perds à nouveau conscience.

Je retrouve mes esprits. Des voisins accourent pour me porter secours.

— Laissez-moi là. Ne me touchez pas! que je leur crie. Je veux mourir, je ne veux plus rien savoir de la vie! Laissez-moi tranquille!

Je reperds conscience.

Je me suis réveillé à l'hôpital avec des pansements partout et un plâtre au genou. J'y suis resté un jour et deux nuits. Aussitôt remis sur pied, je suis allé avec Denis au Tribunal de la jeunesse pour demander mon internement au centre d'accueil Cartier. Prostitution, drogue, tentative de suicide, les bonnes raisons ne manquaient pas. Ma gageure de me débrouiller seul se soldait par un lamentable échec.

Fugues

Je me retrouve placé pour six mois en centre d'accueil. J'en passe trois en chaise roulante, ce qui entrave doublement ma liberté. J'en veux à Denis de m'avoir enfermé dans un centre sécuritaire. Je ne veux plus lui adresser la parole. On me fait repasser les mêmes tests psychologiques pour la énième fois. Pas surprenant que je sois noté «intelligence supérieure»! Je joue le jeu.

Sylvie me téléphone et vient me rendre visite à deux reprises. Elle prétend être enceinte. J'en doute, n'ayant pas eu de contact sexuel avec elle depuis quatre mois. J'en discute avec mon éducateur, qui est du même avis que moi, d'autant plus que Sylvie dit être enceinte de trois mois. Elle nie toutefois l'évidence. Quelque temps plus tard, elle fait une fausse couche.

J'aperçois parfois mon frère Stéphane au détour d'un couloir, mais je ne peux guère lui parler, compte tenu des règlements très stricts du centre. Je me sens prisonnier: ma chambre est une cellule, dans laquelle on m'enferme chaque nuit. Il faut appeler un gardien pour aller aux toilettes. Comme j'ai la jambe dans le plâtre, je ne peux fuguer en sautant les clôtures, comme l'ont fait d'autres gars.

Je suis ensuite transféré au centre d'accueil Cité des Prairies. Dans une unité ouverte, cette fois. En arrivant, j'insiste pour qu'on me rase les cheveux à la façon des *skinheads.* Je veux changer mon apparence afin que le bonhomme Grégoire ne puisse pas me reconnaître. Stéphane se retrouve dans le même centre que moi. Nous pouvons nous fréquenter davantage. Nous allons à l'école ensemble. On nous permet de nous organiser une sortie. Nous retrouvons Sylvie. Elle présente sa cousine à Stéphane, qui meurt d'envie d'avoir une première expérience sexuelle. Ce soir-là, nous décidons de ne pas rentrer au centre d'accueil. À nous quatre, nous louons une chambre d'hôtel et fumons du hasch apporté par Sylvie. Je prends ma douche avec elle. Stéphane veut faire de même avec Natacha. Mais les choses ne se déroulent pas comme prévu pour lui. Déçu, il veut me parler. Je suis occupé à baiser avec Sylvie. Il s'installe à côté du lit, continue à me parler comme si de rien n'était. Sylvie s'assoupit. Je passe la nuit à dialoguer avec mon frère. Nos espoirs, nos déceptions, comment surmonter notre passé, tout y passe.

Stéphane regagne le centre d'accueil en avant-midi et moi quelques heures plus tard. Nous racontons la vérité: nous voulions simplement nous payer du bon temps. On nous impose une journée de punition en chambre d'isolement. Dans les jours qui suivent, nous préparons une autre fugue. Une vraie.

Mon frère demande d'aller faire une promenade. Je sors au même moment faire de la recherche d'emploi. Nous nous rejoignons aussitôt et partons jouer aux machines à boules et au billard. Je m'aperçois que nous sommes tout près de chez Nicole.

— Viens-t'en, Stéphane, je sais où aller!

Jade, étonnée, m'ouvre la porte, m'invite à entrer. La maison est remplie d'amis, garçons et filles. C'est souvent comme ça chez Nicole, surtout quand elle n'est pas là. Jade trouve superbe mon nouveau *look skinhead*. Je mets plus ou moins les autres garçons à la porte. Je joue avec les filles à un jeu de cartes supposé prédire l'avenir. Les cartes disent que moi et Élise — une fille avec laquelle je fais alors connaissance — allons passer notre vie ensemble. Nous rigolons.

Nicole rentre, invite tout le monde à souper. Stéphane passe la nuit là. Moi, je pars préparer notre fugue vers les États-Unis. Mon plan est de voler la revendeuse de drogues de Sylvie: nous savons où elle cache son stock et son argent. Je rejoins donc Sylvie, mais nous décidons de fêter nos retrouvailles en passant la nuit ensemble. Le lendemain, une dispute éclate entre nous à propos de son histoire de bébé. *Exit* le projet de vol. Je reviens chez Nicole. Deux semaines plus tard, nous retournons à Cité des Prairies, mon frère et moi, ne pouvant demeurer indéfiniment chez Nicole.

Nous passons tout de même nos week-ends chez elle. Mon frère sort avec Élise. Moi, sans conviction, avec Jade. Stéphane est transféré dans un foyer de groupe affilié au centre d'accueil. J'y suis admis à mon tour deux mois plus tard. Un soir, mon frère se dispute avec Élise. Elle pleure, elle boit, elle vomit. Je l'aide à se laver. Elle tombe littéralement dans mes bras. Je commence à la fréquenter, je fais la connaissance de sa famille. Nicole semble jalouse du fait que je délaisse sa maison pour celle d'Élise. Nous nous disputons. Je ne veux plus la revoir. Je suis amoureux d'Élise. À sa demande, nous avons notre première relation sexuelle. Elle a peur que je la quitte si elle ne s'offre pas. Je lui dirai, plus tard, qu'elle s'est trompée. Je suis son premier homme. Elle est douce et compréhensive. Malheureusement, je défoule parfois mon agressivité sur elle. Elle supporte mes méchancetés.

Comme le foyer de groupe nous oblige à payer une pension (règlement qui sera plus tard déclaré illégal), je suis forcé d'abandonner l'école. Je me trouve un travail en usine. Routine.

Le temps des fêtes arrive. Je le passe dans la famille d'Élise. Sa mère m'accepte de plus en plus, malgré mes airs louches de *rocker.* Son frère et son père aussi. Au foyer de groupe, la situation se détériore. Les éducateurs prétendent que je me comporte comme si j'étais en chambre et pension et me reprochent mes fréquentes sorties. On remet sur le tapis mes soi-disant problèmes de drogues et de prostitution. Les mensonges racontés à Denis se retournent contre moi. On ne me croit pas quand j'affirme avoir aggravé ma situation afin d'apitoyer Denis. On veut m'obliger à parler de mon passé. On m'interdit de téléphoner à Élise, puis de sortir avec elle. Je n'ai même plus le droit d'aller à l'école ou d'aller travailler. Je fugue. Je vais chez Élise. Sa mère communique avec le foyer de groupe et me convainc de retourner là-bas. Élise vient me visiter en cachette la nuit, par la fenêtre de ma chambre. Pendant plus d'un mois, le même manège se répète: je fugue chez Élise, sa mère sert de médiatrice, je regagne le foyer, refugue, etc.

Un matin, l'éducateur responsable me convoque:

— Écoute, Christian, il faut que tu parles. Déplace les meubles si tu veux, crie, frappe, mais fais quelque chose!

Je ne réagis pas. On m'oblige à assister à des entrevues de deux heures durant lesquelles je ne dis pas un mot. Je n'ai pas confiance. Je n'accepte de parler qu'à Denis, et encore.

— Confie-toi. Aie confiance en nous! m'exhorte l'éducateur.

Je rétorque:

— On m'a toujours dit ça dans ma jeunesse: tu peux avoir confiance en nous, Christian. Ça s'est toujours tourné contre moi! Les gens m'ont toujours menti!

Je sors du bureau en claquant la porte.

— Ça ne se passera pas comme ça, Christian. Je vais te suivre partout où tu iras jusqu'à ce que tu craques!

Je rage. Je dévale les escaliers. Je vais aux toilettes, fais semblant de sortir par la fenêtre. Pendant que l'éducateur se précipite dehors, je regagne ma chambre. Je bloque la porte avec mon lit, prends un sac de vêtements et sors par cette fenêtre. L'éducateur m'attend dehors, de l'autre côté de la maison. Je lui fais signe, le mets au défi de me suivre. En me poursuivant, il tombe sur la glace. Je cours à perdre haleine. Je prends l'autobus pour me rendre chez Élise.

Devinant où je me trouve, l'éducateur me rejoint, menace de me renvoyer en centre sécuritaire. Je retourne donc au foyer. Cette fois, je leur concocte toute une histoire. On m'amène en salle d'isolement. Lorsqu'on m'en sort, je suis plus volubile que jamais. Ils vont en avoir pour leur argent. Je raconte combien j'en veux à ma mère de m'avoir abandonné et placé, je gémis sur l'enfer vécu avec le bonhomme Grégoire. L'éducateur m'amène dans une salle capitonnée.

— Vas-y, Christian, défoule-toi, frappe! Plus fort que ça!

Je lui en mets plein la vue. On me laisse ensuite la paix.

Je retourne au travail et recommence à fréquenter Élise. Mon ordonnance de placement finit le jour de mes dix-sept ans. On m'autorise à partir quelques semaines auparavant pour aller demeurer chez Élise, sa mère ayant accepté de me prendre en pension. Je me dis: «Enfin! c'en est fini des foyers et des centres d'accueil!»

Élise

J'ai dix-sept ans. Nous sommes en mai. Je vis avec Élise. Je la connais depuis maintenant cinq mois. Je travaille en usine, elle va à l'école. Nous nous retrouvons le soir. Ma chambre est au sous-sol. Je ne rejoins ses parents, au rez-de-chaussée, que pour manger. Petit à petit, Élise prend l'habitude de venir dormir avec moi. Au début, elle descend avec elle un petit matelas, pour sauver les apparences. Elle dort dans mon lit. Elle conservera cette habitude au chalet de ses parents. Avec elle, je ne dors pas, je rêve.

Nous allons nous promener à la montagne. Nous prenons des photos de nous, de la nature. Son frère, photographe, nous a enseigné comment. Durant nos randonnées, nous élaborons cent projets d'avenir. Je lui confie un à un mes problèmes passés. Je voudrais me débarrasser de ces souvenirs et de leurs séquelles et, pour ce faire, aller en thérapie. Élise ne comprend pas pourquoi: «Tu n'es pas fou, tu n'as pas à voir un psychologue!»

Elle m'accompagne à la cour pour la dernière comparution de monsieur Grégoire. Les témoignages de mes frères ayant été jugés irrecevables, vu leurs contradictions, je suis seul à la barre. Sous l'influence d'Élise, j'ai changé mon apparence: bon chic, bon genre. Au tribunal, la femme de René a les yeux hagards, comme si une menace la téléguidait. Quant à René, il semble tout à fait désorienté, démuni. Il sait que je dis la vérité. Il tremble dans ses culottes. Sentant que je n'ai plus peur de lui, il a perdu son air arrogant à mon endroit. Le plus difficile pour moi reste encore de revivre ce calvaire en le racontant. Ce n'est plus René qui me terrorise, mais les émotions qui m'assaillent lorsque je suis confronté à lui.

Les Grégoire ont convoqué voisins et amis pour témoigner en leur faveur, afin de démolir mon témoignage. La mère de Marie-Pierre affirme que j'ai forcé sa fille à se dévêtir et que j'ai cherché à lui faire du mal, sans jamais faire la moindre allusion à la raclée dont, par la suite, elle a été témoin. Ensuite, c'est le père d'un de mes meilleurs amis, Dany, qui vient à la barre. Il raconte des histoires tellement décousues que le juge lui ordonne de retourner à sa place. On me demande de reprendre toute mon histoire à nouveau. L'avocat des Grégoire me presse de préciser les dates et les événements. Par ses insinuations malveillantes, il cherche à me déstabiliser, à m'atteindre dans mes émotions. Je résiste. Je suis dans un état second. Ce procès me fait aussi mal qu'à l'accusé: c'est moi qui ai le fardeau de la preuve.

De retour chez Élise, je réalise combien il est difficile pour elle et ses parents de comprendre mon passé. Mais j'ai intensément besoin de me délivrer de mes secrets et de mes angoisses. Je me sens étranger parmi ces gens, que j'aime pourtant. Je persuade Denis de me placer en appartement supervisé. Entre-temps, tombe le jugement du tribunal: coupable. René ne passera toutefois que quelques week-ends en prison. Cette faible sentence m'anéantit; c'est comme si tout ce que j'avais enduré n'avait aucune gravité! Quant à madame Grégoire, elle s'en sort blanche comme neige. Comme elle a de la suite dans les idées, elle projette de faire des études pour devenir avocate.

J'annonce à Élise que ma demande de placement en appartement supervisé a été acceptée. Elle me supplie de ne pas la quitter. Sacrifiant mon bien-être au sien, je reste. Mais notre relation s'étiole. Nos intérêts divergent trop: elle a ses amis, ses activités, et moi, les miens. J'ai l'impression d'avoir consenti un sacrifice qui ne donne rien. Elle n'est jamais avec moi. Je lui fais des scènes de jalousie. Sa mère prend sa part, me reproche mon attitude. J'envisage la fin de la relation. Je deviens aigri, sinon agressif, de voir ma relation amoureuse si mal tourner.

Le jour de mes dix-huit ans, le frère d'Élise m'invite à dîner avec toute sa famille, puis à jouer au tennis avec eux. Élise, qui est supposée me rejoindre au souper, reste chez une amie à écouter des vidéos. Je vois bien qu'elle se désintéresse de moi.

De retour à Montréal, je prends des nouvelles de Nicole. Jade n'habite plus chez elle: elle a été placée en centre d'accueil. Nicole me livre ses problèmes, je lui confie les miens. Nous nous revoyons plus fréquemment. Simultanément, j'essaie de reprendre l'école. Ça ne marche pas: mes problèmes avec Élise m'occupent trop l'esprit. Sa mère me demande de partir.

Ma grand-mère me dépanne. Elle n'a guère de place et encore moins d'argent pour moi. Je dors par terre, me nourris très peu. Elle ressasse ma jeunesse, les difficultés rencontrées par ma mère. Je connais la chanson! Déprimant. Un jour, grand-maman me montre des dizaines de photos de moi, enfant: c'est la première fois que j'en vois. Elle refuse de m'en donner une seule.

Ne pouvant tolérer son absence, je revois Élise et je renoue avec sa mère. Elles m'aident à trouver un nouvel emploi, dans une pharmacie cette fois. Espoir de stabilité. La mère d'Élise me permet de m'installer à nouveau chez elle. Toutefois, mes disputes avec sa fille reprennent: elle veut travailler à la campagne, moi j'anticipe de passer l'été en ville avec elle. Nos projets nous séparent. La mère d'Élise me convainc que sa fille et moi ne sommes pas faits l'un pour l'autre. Elle veut que nous nous séparions pour de bon. Je m'effondre. En cachette, j'avale tous les médicaments que je trouve. Je m'enferme dans ma chambre, au sous-sol. Je m'évanouis. Je suis rescapé de justesse. À l'hôpital, je subis un lavage d'estomac. Ma vessie ayant failli éclater, je passe à deux doigts de la mort. Les parents d'Élise prennent très mal la chose, comme si cette tentative était un coup dirigé contre leur fille. «Tu ne feras jamais rien de bon dans la vie, Christian.» Ces paroles me clouent sur mon lit. Puis, je me dis qu'ils ont sans doute raison: je suis un bon à rien.

Après ma sortie de l'hôpital, j'emménage dans une maison de dépannage pour jeunes adultes. Élise m'y rejoint en catimini. Nous reprenons contact à l'insu de ses parents. Pour la visiter à la campagne, je fais du camping chez l'un de ses amis. Sa mère l'apprend et lui défend de me voir. Élise vient dormir avec moi, mais se sent coupable de mentir à sa mère. Je la pousse à prendre ses distances avec sa famille. Elle n'est pas d'accord. Nos retrouvailles sont ratées. Nous nous disputons devant ses amis. Je prends mes bagages avec la ferme intention de rentrer à pied de Saint-Jovite à Montréal. Je marche sous un soleil de plomb. Je pleure. Je n'ai plus la notion de l'espace ni du temps. Des autos s'arrêtent; je refuse de monter. Une dame, voyant mon épuisement, insiste. Elle me reconduit jusqu'à Laval. De là, je marche jusqu'au foyer de dépannage. En arrivant, je téléphone à Élise. Nous garderons contact, mais avec plus de distance, affirme-t-elle. Quelques jours plus tard, elle revient sur sa parole: «Ça ne peut plus durer comme cela, Christian, ça doit finir entre nous deux.» Je ne l'accepte pas. Je me dirige vers ma chambre, prends une lame de rasoir, gagne la salle de bains, commence à me taillader les bras. Un éducateur, devinant que quelque chose ne va pas, force la porte. Mon désespoir éclate devant lui. Il me console, m'incite à écrire afin de me soulager. Je compose alors une lettre, jamais envoyée, cent fois retouchée, pour Élise:

Chère Élise,

Je sais que tu as raison. Dès que je t'ai connue, j'ai tout voulu de toi. Mais quand je t'ai eue, j'ai tellement craint d'être abandonné que j'ai tout fait pour que cela se produise. Tes parents, compréhensifs, nous ont laissé vivre comme un couple. Nous étions des adolescents se prenant pour des adultes. Nous nous aimions. Parfois très mal.

Quel genre d'ami ai-je été pour toi? Maladivement jaloux, je t'empêchais de voir tes amies, je voulais que tu portes uniquement les vêtements que je choisissais, quitte à refuser de marcher à tes côtés. Je te disais moi-même que je n'étais pas un garçon pour toi. Pourtant, je ne voulais pas que tu me quittes. Ou bien, inversant les rôles, je te menaçais: «Élise, je vais m'en aller». Alors, tu me suppliais de ne pas m'éloigner de toi. Un jeu, ou presque.

J'ai souvent pensé que l'amour était un piège. Quand on n'est pas habitué à connaître le bonheur, le bonheur fait mal. Et quand on n'a jamais connu ce que c'est que d'être aimé, on ne sait pas aimer non plus. Nous avons connu le meilleur et le pire. Nous nous sommes aimés avec passion et désespoir. Finalement, c'est toi qui as résolu de me laisser tomber. Voyant venir ta décision, j'ai tenté de me suicider. Par mon geste, je n'ai fait qu'aggraver la situation.

J'aimerais quand même garder contact avec toi. Pour me rassurer. Pour me rappeler que cet amour a existé.

Je ne t'oublierai jamais. Je t'aime.

Christian André

Solitaire

Je me remets difficilement de ma rupture définitive avec Élise. J'essaie d'enterrer mes rêves d'avenir avec elle. Hébergé en centre de dépannage pour seulement trente jours, je me cherche un nouvel emploi. Je n'ai plus le courage de croire en quelque chose, mais je tiens bon tant bien que mal. On m'engage dans un magasin de chaussures. Bizarrement, je m'attends toujours à voir arriver Élise à la boutique, pour me dire qu'elle a changé d'idée. Le soir, je bois pour endormir ma peine. Je vais dans les bars et les discothèques pour tuer le temps. Ces sorties me confrontent davantage encore à ma solitude.

Je pleure souvent en me couchant. J'ai l'impression que jamais plus je ne connaîtrai l'amour. Je me reproche mes agissements: «Pourquoi je n'ai jamais réussi à conserver l'affection d'une famille ou d'une compagne?» Les éducateurs du centre de dépannage m'envoient habiter en appartement supervisé. Les conditions: travailler, payer un loyer de cent cinquante dollars par mois, plus ma nourriture. Et respecter les règlements. Ça me convient. Mais en quittant le foyer de dépannage, je me retrouve plus isolé que jamais, loin de mes amis et des éducateurs avec lesquels je commençais à m'entendre.

Avec un copain, je vais dans un bar de danseuses nues. Une idée me vient: je sais qu'il existe aussi des bars de danseurs. Je parle de mon projet autour de moi et bientôt je me retrouve embauché comme danseur nu. D'un naturel gêné, je dois me mettre en forme avant d'entrer sur scène: boisson, drogue, tout y passe. L'argent gagné est vite dilapidé. Les clients et clientes se comportent de façon dégueulasse, sans respect pour personne. Je me demande comment on peut en arriver à payer pour voir quelqu'un danser nu. Quand un couple me fait signe, je suggère que l'homme change de table. Je n'accepte de danser que pour les femmes. Ça ne va pas sans problèmes. Sur la scène, je n'ai pas le choix, mais il n'y a pas autant de proximité physique. Je sais que les gens sont là, pourtant je ne les vois pas, je pense à autre chose. J'ai parfois des demandes pour aller baiser avec les gens après le spectacle, mais je n'accepte jamais, que la demande vienne d'une femme ou d'un couple. Le matin venu, j'ai oublié ce qui s'est passé la veille. Ce milieu me déprime. Et je n'entre guère dans ses manèges. Je quitte avant qu'on me mette à la porte.

Après cette mauvaise expérience, je décide de me ressaisir. Je profite des sorties de groupe pour me lier avec les autres jeunes qui habitent l'immeuble de mon appartement supervisé. Les filles me prennent en affection, mais je ne vais pas plus loin avec elles. Rien ne calme ma peine amoureuse. Par tous les moyens, j'essaie de recontacter Élise. En vain. Je bois de plus en plus. J'ai des idées suicidaires. Je ferai quatre tentatives cet été-là: surdoses de drogues ou de médicaments. À la fin, je faiblis, je suis malade. Je dois quitter mon emploi. Je ne mange presque plus. Parfois, je travaille quelques heures dans une garderie, à faire du ménage. Ça me fait un peu d'argent de poche. Que je dépense aussitôt à boire, à me droguer. Je n'ai plus envie de vivre. Je tourne à vide. Je voudrais me retrouver dans les limbes. En plus, j'ai des problèmes à recevoir du chômage ou de l'aide sociale. J'emprunte de l'argent à tout le monde. Seul moyen de survie.

Une éducatrice m'incite à consulter un psychologue ou un travailleur social. Je ne veux pas revoir Denis, j'ai trop honte de ma situation. Je contacte finalement une psychologue. Je la verrai à deux reprises. Je suis déçu de son attitude confrontante. Je veux être soutenu, pas sermonné. Je renonce à être aidé. Je me dis que je ne peux compter sur personne.

Un jour, alors que ça semble aller un peu mieux, je prends l'annuaire téléphonique et contacte quelques stations d'essence pour offrir mes services. Coup de chance: on m'engage dans un endroit où l'on a urgemment besoin de quelqu'un. Je travaille de nuit. Ma patronne me trouve bien gentil; je suis toujours disposé à rendre service et à remplacer le personnel manquant. Après quelques mois, je suis choisi comme employé modèle. Bon point pour moi.

À l'appartement supervisé, nous jouons de plus en plus avec le feu. C'est toujours la fête, il y a de la drogue, de l'alcool en quantité. Les voisins se plaignant, les éducateurs se montrent davantage présents. Comme je suis le seul à avoir une chaîne stéréo, le *party* se passe le plus souvent chez moi. C'est donc moi qu'on blâme. On me renvoie pour un mois afin que je réfléchisse. Me revoici au même centre de dépannage qu'auparavant. Ne pouvant contrer la dynamique du groupe, je réalise que les choses ne peuvent que se détériorer à l'appartement. Effectivement, deux semaines après mon retour, on me congédie définitivement.

Je vais partager un appartement avec Nic, un ami. Les filles de l'appartement supervisé me suivent. C'est la fête le jour, le travail la nuit. Je ne dors presque plus. Je me fais tatouer par un artiste du genre que nous hébergeons un temps. Il y a toujours au moins huit à dix personnes dans l'appartement, parfois bien davantage. Dans mon lit, je retrouve des filles qui m'attendent, nues. Moi, j'ai surtout besoin de dormir. Je quitte finalement cet endroit. Je ne peux plus continuer à vivre comme ça. Je m'installe en appartement avec un autre ami, Laurent. Je m'aperçois trop tard qu'il est alcoolique, toujours sans argent. Je dois débourser plus que ma part de nourriture et de bière. Comme le loyer est toujours payé en retard, il se dispute souvent avec la propriétaire. Au retour d'un week-end, ma chaîne stéréo a disparu. Il n'y a pas eu d'effraction. Laurent, absent aussi, accuse la propriétaire. Je repars quelques jours, en me disant qu'il s'agit sans doute d'une mauvaise blague ou d'une menace et que les choses reprendront sûrement leur place d'ici mon retour. Mais non: ma chaîne n'est toujours pas revenue. J'avertis la police, qui refuse de fouiller l'appartement de la propriétaire.

Un soir qu'il a beaucoup bu, Laurent m'invite à visiter l'usine où il travaille. Il a les clés. Juste avant de quitter l'endroit, il se met en tête de dérober la petite caisse. Comme il ne la trouve pas, il démolit tout sur son passage. Je me réfugie dans sa voiture et l'incite à me rejoindre. Ses empreintes le dénonceront.

Quelques jours plus tard, je suis accusé de complicité dans les méfaits commis par mon ami. Je contacte Denis et une avocate. Contrairement à ses promesses, Laurent m'implique dans le coup et prétend que j'ai participé au saccage. Je suis condamné à deux ans de liberté surveillée.

Je me retrouve à nouveau seul, sans toit.

Aller-retour

Désespéré, je contacte ma mère, qui accepte de m'héberger pour quelque temps. Je la retrouve en soirée. Elle semble heureuse de me voir. Je pars travailler de nuit, rentre en matinée. Maman et un homme que je ne connais pas sont assis à la table de cuisine. Ils semblent avoir passé une nuit blanche. Maman me présente:

— C'est mon fils, tu sais. Il a un bon emploi. C'est un bon garçon. Je le dépanne pour quelques jours.

Elle a bu et consomme de la coke avec son ami. Épuisé, je vais m'étendre sur le sofa, au fond du petit appartement. À voix basse, l'homme signifie à maman qu'il préfère partir: ma présence le gêne. J'entends ma mère lui répondre que ce n'est pas grave, que je vais m'endormir bientôt. Elle ne veut pas qu'il parte. Lui ne veut pas rester. Ils se disputent. Il s'en va. Elle vient me retrouver et dit qu'elle a envie de parler. Je me lève. Elle m'offre une bière et une ligne de coke.

— Pas ce matin, maman.

Elle ressasse le passé.

— Il y a quelque chose que je garde sur le cœur depuis longtemps, Christian. Tu te souviens de la fête des Mères il y a quelques années? T'avais apporté une rose à ta grand-mère et rien pour moi. Ça m'avait fait tellement de peine...

— Mais, maman, j'étais en visite chez grand-mère. Je n'avais pas prévu que tu arriverais à l'improviste. Je m'excuse si je t'ai fait du chagrin.

Je lui demande de ne pas revenir continuellement sur le passé. Je ne veux pas de dispute. Je veux que nos nouveaux rapports partent sur un bon pied. Mais elle ne démord pas.

— En tous les cas, cette fois-là tu as bien montré le peu d'estime que tu avais pour ta mère.

Manifestement, elle cherche à me provoquer. Je me sens frustré. Où veut-elle en venir? Je ne suis même pas rentré depuis trente minutes qu'elle m'accable de reproches.

— Maman, laisse-moi aller me coucher. Je n'ai pas l'intention qu'on se chicane ce matin.

— Si tu penses que tu vas t'en sortir comme ça!

Elle est agressive. Je hausse aussi le ton.

— Veux-tu que je parte? Dis-le carrément!

— Oui, crisse ton camp, si c'est comme ça que tu me traites!

— C'est quoi ton problème, la mère? T'es fâchée parce que le bonhomme est parti? T'as pas baisé et tu m'en veux? Tu manques de coke ou quoi?

— Ingrat! tu commenceras pas à faire la loi chez moi. Va-t'en! Crisse ton camp! Je veux plus te voir! Je ne veux plus rien savoir de toi!

— Note l'heure, note la date, maman: c'est la dernière fois que tu me vois.

Je saisis mon sac de vêtements d'une main, claque la porte de toutes mes forces. Je m'enfuis, le cœur partagé entre la rage et l'amertume. Je tiendrai parole.

Je me réfugie chez Nicole. Elle m'invite à rester chez elle le temps qu'il faudra pour me trouver un appartement. Enfin, je peux respirer. Je renoue avec Jade. Comme elle se trouve encore en centre d'accueil, nous ne nous voyons que les week-ends. Nous nous écrivons, mais c'est de sa présence que j'aurais besoin. Surtout, j'accepte mal les mésaventures qui l'ont menée en centre d'accueil, en particulier le fait qu'elle se soit prostituée.

Quelques jours plus tard, je rencontre par hasard une des copines de l'appartement supervisé, Marie-Louise. Je l'invite chez Nicole. Jade arrive sur ces entrefaites et ne voit pas d'un bon œil la présence de Marie-Louise. Elle est jalouse, monte sa mère contre moi: pourquoi me garderait-elle alors qu'elle a placé ses filles en centre d'accueil?

Nicole est perplexe. Elle doit prendre parti pour moi ou pour sa fille. Elle tranche finalement, me demande de partir. Marie-Louise m'offre d'aller habiter avec elle et sa compagne d'appartement. J'accepte. Je réalise trop tard ses conditions: coucher avec elle, lui faire l'amour quand elle le désire, alors que je ne suis pas amoureux d'elle. Elle le sait. Je préfère coucher par terre. Elle est choquée, mais espère tout de même.

À la même époque, je renoue mes contacts avec mon frère Patrick. Nous nous voyons durant ses sorties du centre d'accueil. Nous sommes heureux de nous retrouver. Nous nous voyons de plus en plus souvent.

Marie-Louise me reproche de trop sortir, que ce soit avec mon frère ou même pour travailler. Je ne lui consacre pas assez de temps, dit-elle. Je lui rappelle n'avoir pris aucun engagement vis-à-vis d'elle. Qu'elle respecte ma liberté comme je respecte la sienne. Mécontente, elle critique sans cesse mon comportement, me reproche de ne pas participer suffisamment aux dépenses de l'appartement. Je lui montre ma bonne volonté en augmentant ma contribution. Pour lui faire plaisir, je peins une murale sur le mur de sa chambre. Elle est ravie.

Un soir, je sors avec mon frère à La Ronde:

— Ce soir, mon Patrick, on va passer une de ces soirées! J'ai économisé trois cents dollars pour nous deux. On va s'en payer du bon temps!

Manèges, bouffe, jeux d'adresse, nous dépensons toutes nos énergies et tout notre argent. Joyeux, nous retournons à l'appartement. J'appelle Marie-Louise par l'interphone pour qu'elle m'ouvre la porte du hall d'entrée. Elle déclenche l'ouverture de la porte mais ne dit pas un mot.

— Qu'est-ce qu'elle a? me demande mon frère.

— T'en fais pas: c'est sa petite crise qui recommence.

On se dirige vers l'appartement. Stupéfait, j'aperçois à la porte tout mon bagage! Je cogne. On m'ouvre à peine la porte. Je demande aux filles ce qui se passe.

— On ne veut plus te garder. Tu t'en vas.

Je n'ai plus que quelques dollars sur moi. Je leur demande de garder mes affaires, le temps de me trouver un autre endroit où demeurer. Je sors. Je braille de découragement. Je demande à Patrick de regagner son centre d'accueil.

— Ça va assez mal comme ça, Patrick. Je ne veux pas que tu vives mes problèmes, toi aussi.

Il ne veut pas me laisser seul, il essaie de me consoler. D'habitude, j'enjolive un peu ma vie, pour servir d'exemple à mon petit frère. Ce soir-là, je n'en peux plus, je me laisse aller:

— Patrick, tu ne peux pas savoir comment ça peut aller mal de ce temps-là. En deux mois, j'ai déménagé mes affaires quatre fois. Va falloir qu'il se passe quelque chose.

Il me rassure:

— Inquiète-toi pas, Christian, ça va finir par s'arranger. Tout s'arrange dans la vie.

Nous sillonnons les rues. Fatigués, nous couchons par terre dans le parc Maisonneuve. Mais il a plu, l'herbe est humide et il y a plein de moustiques. Nous partons à la recherche d'un autre endroit. Je m'adresse à un copain de travail, lui demande de me prêter de l'argent afin de louer une chambre pour la fin de la nuit. Il est quatre heures du matin quand nous trouvons enfin un endroit où dormir. Patrick se lève tôt pour regagner son centre d'accueil. Il promet d'aller chercher mes affaires à l'appartement avec un éducateur.

Pendant une semaine, je garde la chambre louée à vingt-cinq dollars la nuit. C'est minuscule et sale. Il y a des films érotiques à la télé. Ça ne me dit rien. Je préférerais une vraie maison de chambres, avec du vrai monde, une vie de famille peut-être. Mais on me refuse partout. Je me décide à aller demeurer seul. Pas le choix. Je loue une chambre près de mon travail. Je travaille jusqu'à soixante heures par semaine à l'une ou l'autre des deux stations-service de mes patrons. Satisfaits de moi, ils m'offrent une promotion: diriger un lave-auto. L'argent rentre.

À dix-huit ans, j'ai enfin mon premier chez-moi, d'où personne ne peut me renvoyer, où je fais à ma guise. Décidé à régler mes problèmes intérieurs, je reprends contact avec Denis, mon travailleur social. Je veux qu'il m'aide. Non pas à oublier mon passé mais à l'accepter. Je soupçonne qu'il faudra beaucoup de temps.

Épilogue

Voilà. Je me retrouve assis à mon bureau, à réviser ces pages racontant mon enfance et mon adolescence. Éprouvante thérapie que cette écriture. Difficile de se remémorer ces événements, parfois heureux, souvent tragiques, sans ressentir de vives émotions, contradictoires en plus.

Que penser aujourd'hui? En vouloir à ceux qui m'ont rejeté, battu, violé? Ne faire confiance à personne sous prétexte que j'ai été trompé et abandonné? Renoncer aux espoirs de bonheur? Me laisser aller à la dérive vers la déprime ou le suicide? Ces questions se sont bousculées dans ma tête avec plus d'acuité que jamais au fur et à mesure que, revivant mon passé, je rédigeais ce livre. Je n'ai pas encore trouvé toutes les réponses mais, à travers ma réflexion, je me suis découvert moi-même. J'ai commencé à m'aimer, à m'accorder des bons points, à pardonner aux autres aussi. Pour survivre, je n'ai jamais eu le choix: il fallait foncer tête première, malgré la souffrance, malgré la peur.

Combien de fois ai-je essayé de fuir mon passé dans la drogue ou l'alcool, au péril de ma vie, avant de m'apercevoir que je n'avais d'autre choix que de remonter la pente, et pas à quatre pattes? Combien de fois me suis-je demandé pourquoi cela m'était arrivé à moi, qui n'avais fait de mal à personne? L'image d'une roue infernale, d'un engrenage qui va finir par me broyer me ramène encore parfois au point zéro, au bord du précipice. Mais je lutte. Je n'ai pas laissé les autres me tuer, vais-je le faire moi-même? Ma tête rend mon corps malade à force de questions sans réponses et de sentiments d'impuissance et de culpabilité devant tant de drames.

Un cauchemar persiste, qui me rattrape même quand je ne dors pas. Devant moi, un énorme sablier égraine le temps. Je me prépare à la mort. Il ne me reste que neuf mois avant de mourir. Neuf mois de bonheur avant la fin. Angoisse: comment m'éteindre sans blesser ceux qui m'aiment? N'y verrait-on qu'un signe de désespoir ou, pire, de folie? J'ai parfois l'impression d'avoir tout donné de ma vie. Du plus profond de moi, je sens que je dois renaître, de chair ou d'esprit. Pour ne plus avoir à traîner mon mal de vivre et ces souvenirs d'enfer qui consument chacun de mes pas.

Pourtant, des rêves éveillés ne demandent qu'à contredire ce cauchemar.

En m'invitant, il y a maintenant deux ou trois ans, à raconter mon histoire à des étudiants auxquels il enseignait, mon ex-travailleur social, Denis Ménard, m'a permis de prendre un nouveau tournant. Partager mon récit n'était pas facile — et ça ne l'est pas davantage maintenant que j'ai maintes fois répété l'expérience. Bizarre sensation, en effet, que celle de crever le silence entourant les abus physiques et sexuels. Mon témoignage, s'il me bouleverse chaque fois, en raison des souvenirs qu'il ranime, me soulage pourtant de l'angoisse d'être à nouveau rejeté et me force à affronter les fantômes qui me hantent. De plus, les chaleureux encouragements reçus m'ont valorisé et redonné confiance en moi. Pour l'une des rares fois de ma vie, je me suis senti entendu, respecté, et non pas jugé, rejeté. Accepter de recevoir de l'affection et faire confiance après en avoir si cruellement manqué demeurent toutefois un défi sans cesse renouvelé, qui m'a inspiré ces quelques vers:

> J'ai longtemps avancé dans la vie
> Sans qu'on me permette de dire
> Un seul mot dans ce monde.
> Puis j'ai pris la parole
> De ma voix brisée.
> Aujourd'hui, je pleure:
> Mon cœur a peur
> De l'amour partagé.
> Cette pluie secrète de peine,
> Que mes yeux versent à peine,
> Cache la honte au fond de moi.
> Est-ce vrai que l'on m'aime?

Revenir sur les traces de mon enfance fut l'occasion d'audaces inouïes. Un soir, une force m'a poussé à téléphoner à monsieur Grégoire, sans même savoir ce que j'allais lui dire. J'ai entendu sa voix assourdie, lointaine. Mon cœur battait en accéléré. Tant de souvenirs pénibles traversaient mes pensées! René a dit qu'il ne voulait pas me parler: je lui avais déjà fait assez de mal. Son procès avait bouleversé toute son existence. Je fus surpris de m'entendre lui répondre: «Excuse-moi.» Il en est resté bouche bée. Je l'ai rassuré sur les motifs de mon appel: je ne cherchais nulle vengeance.

— Je voulais juste te dire que je suis devenu un homme honnête et travailleur. C'est peut-être à cause des principes que tu m'as inculqués, René.

Il a paru touché par mes paroles et m'a félicité pour ma réussite. Quand je lui ai dit mon intention d'écrire mon histoire, il m'a demandé si j'allais dire la vérité.

— Oui, rien que la vérité, toute la vérité.

Il s'est tu.

J'ai réalisé seulement après coup le grand pas que j'avais accompli lors de cette conversation téléphonique. J'apprivoisais mon passé, je commençais à faire la paix avec lui. Par la suite, j'ai tenu à recontacter d'autres personnes qui m'avaient hébergé: familles d'accueil, parenté ou éducateurs. Toutes semblaient agréablement surprises de constater à quel point je semblais m'en être sorti. En conversant avec l'éducateur qui m'avait le plus démoli jadis, j'ai compris une chose: il n'est pas facile d'aider un jeune, méfiant comme je l'étais — et comme je le suis sans doute resté quelque peu. On ne se refait pas d'un coup. Si on n'est pas prêt à avancer soi-même, toute aide s'avère inutile. Tant qu'on n'a pas suffisamment confiance en soi, on n'aura pas confiance aux autres.

J'ai aussi renoué graduellement avec mes frères, dont j'avais perdu la trace, et j'ai fait connaissance avec d'autres frères dont j'ignorais tout. Par la travailleuse sociale qui a fait le pont entre nous, j'ai appris que je venais d'avoir une sœur, la première fille mise au monde par maman après sept garçons. La loi étant maintenant changée, les plus jeunes enfants de la famille sont aujourd'hui adoptés. J'aurais aimé avoir cette chance à leur âge.

À maman, je n'en veux plus. J'ai compris qu'elle avait eu de gros problèmes dans sa jeunesse — on m'a raconté que ma naissance résultait d'un viol, ou presque — et ne s'était jamais remise de ces chocs. Résistant aux pressions de ses proches, ma mère n'a jamais voulu se faire avorter. Je la remercie de m'avoir laissé naître. C'est pour elle que j'ai écrit ce poème, «L'avorté»:

Ma naissance, on l'a interrompue
car ce monde n'a pas voulu
de moi en tant qu'enfant de paix.
Toi qui as vécu le viol sans amour,
Entends cet embryon qui a le goût de connaître l'amour.
Laisse-moi exister.

Pouvez-vous imaginer mourir avant même de vivre?
Laissez-moi le désir de vivre avant de m'éteindre.
Je vous implore d'être de ce monde.

Merci, maman.

Quelques jours seulement après avoir écrit ces lignes, j'ai croisé ma mère dans le métro. Le regard absent, elle ne m'a pas reconnu. Ou fait semblant. Ça m'a fait très mal. Je n'existe donc plus pour elle. Nous ne nous étions pas revus depuis quelques années. Mais je n'ai pas changé au point qu'elle ne puisse plus me reconnaître. Curieux hasard cette rencontre au moment où je rédige l'histoire dont cette femme est la source.

Une semaine plus tard, je suis en voiture avec Mike, qui m'aide alors à rédiger ce livre. Il stoppe au coin d'une rue pour laisser passer des piétons. Parmi eux, une femme nous fixe un instant à travers ses verres fumés. C'est maman. Je dis à Mike, presque content: «C'est ma mère!» Elle traverse l'intersection. Mike fait demi-tour pour longer la rue qu'elle descend. Reconnaissant l'automobile, qui va s'immobiliser, maman s'arrête, fait demi-tour, monte le premier escalier qu'elle croise, s'assied dans les marches, attend. Elle m'a donc reconnu, se défile, semble effrayée. Mike redémarre son auto. «Elle a peur, vaut mieux repartir», dit-il. Autre hasard manqué. Me fuira-t-elle toujours? Pourquoi?

Mon frère, Marc, en visite chez une tante, a pu parler au téléphone à notre mère. Elle sait que j'écris ce livre. Elle sait que je demeure près de chez elle. Elle sait.

Depuis le début de ma vie, chaque fois qu'on a dit m'aimer, j'ai désespérément voulu le croire. Chaque nouvelle famille allait être ma vraie famille. Mais pour survivre à l'indifférence, à la violence et au rejet, j'ai dû me construire une carapace. Et résister à l'appel de la violence, qu'elle soit tournée vers moi-même ou vers les autres. Ma vraie famille, je la ferai désormais moi-même, avec des liens de cœur, de chair ou de sang. J'ignore si j'aurai des enfants, mais je souhaiterais être le père que, enfant, je n'ai pas eu. Parfois, je lui parle:

À MON PÈRE

Pourquoi es-tu parti si vite?
Je n'ai même pas eu le temps de te connaître.
On dit que tu ne peux pas faire ma vie
Même si tu me l'as donnée,
Qu'il faut affronter seul ses épreuves.
J'aurais eu besoin de te demander conseil:
Comment devenir un homme?

Toi, as-tu réussi ta vie?
J'ai tenté de te remplacer par d'autres
Et ce fut en vain.
J'ai voulu devenir toi
Et j'ai connu l'échec.
J'aimerais mourir pour renaître de toi.
Et grandir à tes côtés.

Tout est dit? Tant reste à dire et à faire. Si j'ai pu, par mon témoignage, mettre en lumière le sort des enfants mal aimés, maltraités dans leur tête et dans leur corps, ce livre aura servi à faire du plus avec du moins.

Un avenir incertain s'ouvre maintenant devant moi. Soulagé du poids du secret et du silence, je l'affronte avec espoir. Enfant battu, violé et rejeté, j'ai malgré tout découvert la valeur d'une vie humaine.

En terminant, je voudrais remercier Mike de sa présence rassurante. Soutenant l'exploration de mon passé et l'écriture de mon récit, il m'a aidé à transformer une timide ambition en réalité. Sans oublier Denis Ménard qui, ne m'ayant jamais laissé tomber au cours des dix dernières années, a contribué à me redonner espoir en la nature humaine.

Table

TRI-GRAPHIC